国家出版基金项目
NATIONAL PUBLICATION FOUNDATION

《三联经典文库》

第二辑

2012 年国家出版基金项目

三联经典文库

175

七人之狱

沙千里　著

生活·讀書·新知 三联书店

图书在版编目(CIP)数据

七人之狱 / 沙千里著. -- 北京 : 生活·读书·新知三联书店, 2014.1
（三联经典文库第二辑）
ISBN 978-7-108-04683-3

Ⅰ. ①七… Ⅱ. ①沙… Ⅲ. ①七君子事件（1936）– 史料 Ⅳ. ①K264.606

中国版本图书馆CIP数据核字(2013)第246458号

175 七人之狱

责任编辑	樊燕华
封扉设计	蔡立国
责任印制	郝德华
出版发行	生活·讀書·新知 三联书店 (北京市东城区美术馆东街22号)
邮　　编	100010
经　　销	新华书店
印　　刷	北京鹏润伟业印刷有限公司
版　　次	2014年1月北京第1版　2014年1月北京第1次印刷
开　　本	787毫米×1092毫米 1/32　印张 7.75
字　　数	106千字
定　　价	28.00元

《三联经典文库》出版缘起

适逢生活·读书·新知三联书店八十华诞，为弘扬传统，接续文脉，回报读者，服务社会，我们决定策划出版《三联经典文库》。

1932 年 7 月，生活书店在上海创办，此后，读书出版社和新知书店相继成立。本文库第一辑、第二辑所选图书，来自于这三家出版单位及其分支机构，以及 1948 年生活·读书·新知三联书店成立后的出版物，始于 1932 年，截至 1951 年，两辑各一百种。此为第二辑，涉及政治、经济、社会、军事、思想文化诸领域，涵盖专著、文集、散文、小说、诗歌、传记、报道等体裁，既有直面现实、追求真理、讴歌真善美、抨击假恶丑的原创作品，又有引介世界各国先进文化、传播新知、开启民智的迻译之作，真实记录了那一代知识分子的思考与探索、理想与愿景和对中华民族文化传承与创新所做出的努力与贡献。

本文库所辑入各书，多为名家名作，在版本方面，以初版一印本或经著译编者审定、修订、增订过的版本为首选，因此本文库又具有较为珍贵的版本价值和收藏价值。

本文库还将编选续辑，使之成为恢弘文化工程。诚挚希望读者给予批评和指正，帮助我们完善编选工作，再现三联经典作品之风采。殊为遗憾的是，由于年代久远，一些原著译编者及其后人未能取得联系并奉付稿酬，诚盼版权所有者与我们联系。祈愿三联前辈所创造的精神财富能薪火相传，为中华文化的伟大复兴增光添彩。

《三联经典文库》编辑委员会

2013 年 8 月

凡　　例

一、本文库为重排本，由繁体字竖排版改为简体字横排版。

一、以忠实于原作、整旧如旧为编辑原则，对当时使用的专有名词、外文译名，以及民国时期的语言和特色予以保留。

一、原书注释如旧，编者所出的注释，均以“编者注”标明，以示与原书注释的区别。

一、对原书残缺或字迹漫漶之处，以□示代。

一、对繁简文本转换时的“如右”、“见左”一类，对应改为“如上（前）”、“见下（后）”。

一、对原书中各种错讹脱衍之处，直接订正，不再以其他符号标示。

一、对数字、标点符号的用法，在不损害原文语义的情况下，做必要的规范。

一、本文库各书均前插原书书影、原书版权页和文库版“本书出版说明”。

一、本书出版说明的撰写，以客观中立为原则，扼要介绍本书的内容、版本流转、著译编者的情况。

本书出版说明

本书完整记录了在 1936 年底的“七君子事件”中，七位当事人沈钧儒、沙千里、章乃器、邹韬奋、李公朴、王造时、史良七人的被捕、关押、审讯经过及狱中生活。书后附有《起诉书》、《答辩状》等。

本书对了解民国时期司法状况有所帮助。

本书于 1937 年首版于武汉生活书店，1938 年 3 月由上海生活书店出版，1984 年北京三联书店再版。本书选用 1938 年上海版。

沙千里（1901-1982），原名重远，曾用名仲渊。上海人。早年主编《青年之友》宣传反帝爱国思想。“九·一八事变”之后，参与组织全国各界救国联合会。1936 年 11 月与沈钧儒、邹韬奋等七人被国民党政府逮捕入狱，为“七君子”之一。1938 年加入中国共产党。1949 年上海解放后任上海市军管会和市政府副秘书长，出席全国政协第一届全体会议。后任贸易部副部长、商业部副部长、轻工业部长、全国工商联副主任委员、全国人大常委会委员兼副秘书长、全国政协副主席等职。著有《七人之狱》、《抗战与民众运动》等作品，译有《格拉斯顿传》。

生活·读书·新知三联书店

2013年8月

生活书店 1937 年 10 月初版书影

七人之獄

每冊實價肆角伍分

著者 沙千里

總經售 生活書店

中華民國二十六年十月初版

原书版权页

目 次

附　录

自右至左：沈钧儒　本书著者沙千里　章乃器　邹韬奋　李公朴　王造时　史良（上角）

栅栏门↑

↑甬道

←↓狱室和门

集體生活

←工作

↓唱歌

←谈闲

→排球

↓亲友探访

（下角）

↓上海法学院

参观团

→接见开放日

工作

（一）

←复信

↓写字（“家长”）

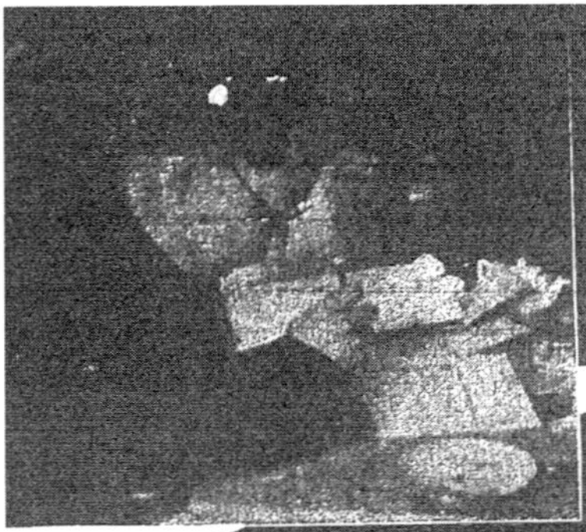

→看书（邹）

工作（二）

↑□池（李）

→构思起稿（章）

←写作（沙）

運動（一）

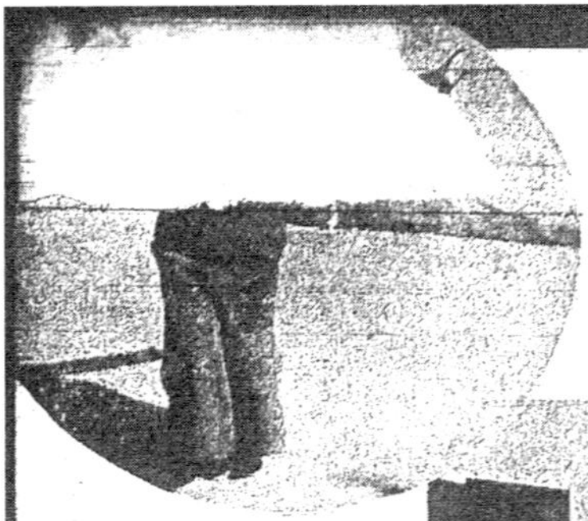

↑太极拳（沈）

→行意拳（章）

←深呼吸（李）

運動

（二）

→徒手操（邹）

↓柔软操（王）

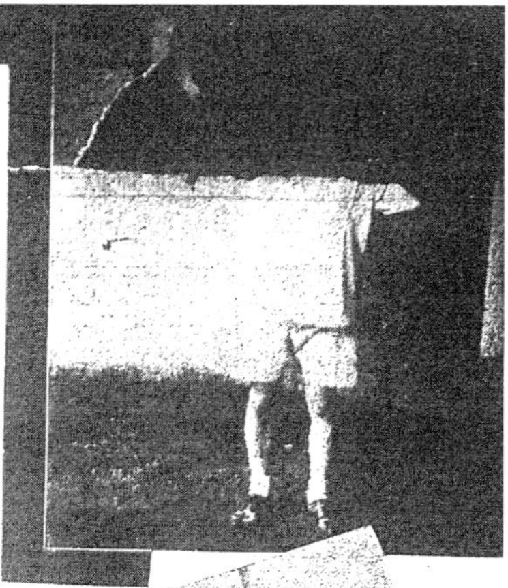

↑太极拳（沙）

前　题

正是绥远将士在冰天雪地中与日本嗾使的匪伪勇猛抗战，和上海日本纱厂工潮汹涌澎湃的时候，我们七个人竟以组织救国会，主张抗日的缘故，突然同时被捕这一个事实，实使社会起了一个很大的震动。对于具有民族国家思想的人们，更无异投了一颗巨大的炸弹。不但使知道我们的朋友感觉愤懑不平；即平素不明了救国会情形的人们，也具有深厚的同情。不但国内外的同胞如此，即国际间期望中国民族解放成功的友人，也表示深切的关怀。——这当然不是我们几个人特别使他们有所爱惜；而是抗日救国的主张，现在已经变成全国一致的要求，且为主持正义的国际人士所希望的目的。因此我们的被捕，受到大家这样的注视。但另一方面，尚有少数人对于我们误会很深，有的竟肆意诬陷，无所不用其极的中伤侮辱我们，以图消灭民众抗日意识，毁坏民族团结的趋向，以致一部分人受了虚伪宣传大有目眩五色，莫知适从之感，因而热切的要求明了案件的内容，和进行的状况。由于这种情形，我在羁押中寂寞无聊的时候，随随便便写成了本书，希望把事实的真相来报告一下。

其次，我们刚入看守所的时候，大家都阅读柏克曼的《狱中记》，以资消遣。他那悲苦惨绝的遭遇，卓越伟大的人格，美丽感人的文辞，字字打动阅者的心弦，而我在这样的环境中读了，觉得更加亲切有味。因此启发了我记述本案经过的意念，这是我写本书的第二个动机。

最后，我是一个研究法律的人，对于因本案而发生的种种法律上的问题，有着很多的意见，如骨鲠之在喉，有不得不吐的感觉。这种种法律问题，虽仅发生于我们的案件进行中，而其影响所及，在我个人的见解，以为却与整个国家的司法有关，而且也是全中国几千百万案件中一个真实的反映。因此便把我的意见，率直地记录了下来，以期就正于当今研究法律，爱护法律的同仁，也许不无一点参考的价值。至于文词之间，有时不免过于严刻，那也只就法律和事实说话，对于机关或个人，并无丝毫恶意，或攻讦的意思，读者请勿以辞害意。

尤其我感觉自“西安事变”和三中全会以后，政治形势，日见开朗。国民大会已经定期召集，宪政的实施，也不在远，这真是中国建设现代国家的一个契机，完成民族解放的一个初步。我们知道要完成民族解放，必须要广大的民众全国一致的来参加，才能达到；要人民来参与国家大事，把他们的力量，贡献于国家；便只有实施宪政，才有可能。必定要这样，抗敌御侮才成为全国一致的运动；民族解放的斗争，也就有了胜利的保障！当然，宪政脱离了抗日的意义，便成为抢夺政权，升官发财的勾当，无疑的将为民众所唾弃，敌人所耻笑！所以，我们为了抗日的胜利，我们是切望宪政一帆风顺的克底于成，而不再重蹈三十年来历次失败的覆辙；为了要求宪政的成功，也就不得不主张政府和人民要坚决的一致的遵守法律！因此一切违背法律，玩弄法律，破坏法律的行为，不得不求其根本消灭！那么，把非法违法的种种事实揭露出来，我相信于推进宪政，是有其意义的。读者以为如何？

二十六年三月二十二日，
千里记于吴县江苏高等法院看守分所中。

我起先相信本案可以不经起诉的程序而获得自由，所以写完二十一篇以后，以为只要补上一篇“出狱”，便可告一结束。不料检察官提起公诉，“自由”已成泡影，“出狱”也就不得不改写“提起公诉”。至于起诉以后情形，拟再续写后集，报告读者。现在所有种种关系文件足供读者明了本案真相的参考，特地附载书末。将来后集出版，当再另加整理。

这样还要补充说明的，是第十六篇中说是侦讯了五次，那是二月间的情形。后来在三月九日，侦查讯问，又进行了一次。那次的问话，以“西安事变”做中心。问我们事变前有无联络接洽，有无派人前去，有无熟人在那边，并且问我们为什么张学良、杨虎城二氏通电中要求把我们释放等等。我们的答复，“西安事变”的发生，我们已经关在看守所中，无从知道。直到在所中听见彻夜的爆竹声，翌晨问了所中职员才晓得有此事变。在牢狱中不能联络接洽，是小孩子都明白的事情。至于张杨二氏的通电，是他们的事，他们发挥人类的同情心营救我们，我们没有理由或权利可以去禁止他们，况且通电营救我们的何止张杨二氏？讯问情形，大概如此。不料“起诉书”里，居然也列为罪证之一，且以救国会请张出兵援绥的一个电报，便煌煌然大书特书“勾结军人，谋为轨外行动，驯至酿成巨变，国本几乎动摇”，乱放无的之矢，我们真不免有些“受宠若惊！”

最后的“羁押生活的感想”是七个人所写的。当侦查期间将要届满之前，一切的消息，都说我们可以出去了。“家长”以为几个月来的共同生活，即将结束，不可不有一个纪念。因此要大家写些感想之类，作成了一个“手卷”。我觉得这样的材料，应该公诸于大众，所以征取全体的同意，放在这里，承他们一致答应，使本书平添了无上的光辉，实是我最高兴的一件事！

本书如没有李公朴先生的鼓励，也许到今天也不会与读者见面，这是我深深感谢的。李月如先生替我校录至二次之多，尤使我感激！在此表示我内心的感谢！

二十六年七月九日，千里又记。

人民非依法律，不得逮捕、拘禁、审问、处罚。

——《中华民国训政时期约法》第八条

人民有发表言论，及刊行著作之自由；非依法律，不得停止或限制之。

——“约法”第十五条

一　没有拘票

拘提被告，应用拘票。

——《刑事诉讼法》第七十七条

执行拘提，应以拘票示被告。

——《刑事诉讼法》第七十九条

初冬的夜里，薄薄的棉被已经不能抵御寒气的侵袭，我拥被睡着。在梦中，母亲走进房里来叫醒我，说有朋友找我，神色非常怆惶。时候已经深夜二时，冒寒寻我，我想朋友们会有什么不幸发生了。

自从参加救亡运动以来，同志遭受不幸的，为数已经不少，我当时以为又有朋友遭遇了同样的事故，所以跑来要我去设法的。谁料到结果是我做了这一幕悲剧的主角。

母亲房里的窗子半开着，窗外伏着一个看不清的人影，当我走到窗子面前的时候，那个影子便发出声音，叫着我的名字。我起初当真以为朋友叫人来找我，还查问他什么事情；待我定睛看清这影子的时候，面目是狰狞得可怕，在窗子外面像等待择人而噬的样子。一刹那，窗外又发现了几个人的声音，突然进入我耳朵里的是："我们行里来的！"

接着便是严厉而急迫的叫着："开门！开门！"

我那时已经知道他们的来意，母亲更惶急起来。我身上仅穿着单衣，我一面请母亲去开门，一面自己去穿衣。

开了门，五六个彪形大汉和一个高大的西探，一拥而进了我的房中，其势汹汹，形如虎狼！有的把电筒四面照射；有的翻查我的书架。那西探一再问我姓名，好似恐怕错捉了人似的，后来见我书架上放着的银盾上刻有我的名字，才不再问我。我也一再问他为了什么事，但是他极力催促我穿好衣服，跟他们走；而且厉声的催促，置我的问话于不理。我心地是那般明白，除了救国会之外，没有其他缘由的。然而依照法律，除现行犯得以当场逮捕外，对于非现行犯，执行拘提，必须将拘票示被告。因为拘票上载明拘提的理由，和应解送的法院，如此则被告方知因何被捕，否则毫无原因，滥行拘捕，不知道到哪个法院去，再说什么法律保障人权的话！所以他虽催促我非常厉害，但我并非现行犯，如要捉我，一定要有拘票，因此我一再要他们拿出拘票来看。因为没有拘票，法律上规定可以拒绝他们的。可是狡猾的西探，推说到捕房里去给我看。我一想一切没有法律的世界，尤其在法权被帝国主义铁蹄蹂躏的现在，中国的法律虽然可以拒绝拘捕，但是在此汹汹的形势之下，“秀才遇着兵，有理说不清”，我被迫得不得不走。捕房虽然违背协定，没有拘票，随便拘人，但是却出诸中国公安局的请求，我是中国人，教我简直无话可说！

六十七岁的母亲在万分惊慌中，还保持着相当的镇定，命我穿得暖暖的。桂灵本来酣睡着，被大声叫醒了，当然见到这许多人在房中，似乎莫名其妙的呆住了半晌。她看清了这样的形势，知道是什么一回事的时候，她陡然起来，脸色泛着青白，看住我穿衣袜；帮我穿上长袍大衣，悲痛和惊骇的神情，在她含着泪珠的眼里，可以看出来。孩子们也醒了；呆呆地望着许多凶暴的探捕，嫩弱的小心里，不知起了什么想念！

我安定母亲和桂灵，告诉她们我没有犯什么罪；最大的原因，只有救国会的关系。我留下沈钧儒章乃器二位先生的电话号码，叫她们关照他们二位，请他们二位替我想法。我不曾梦想他们——还不只他们二位——同时也被捕；而且时间和情形也没有二样呢！

母亲坦然地叫我安心，她说在外面她会替我想法。我听出她的声音，虽是安详镇定，不露一丝慌张，我知道她心里的悲痛和焦急，是难以宣述的，她态度上是故意不要她儿子看出来罢了。

近几月来，母亲和桂灵不断地叫我留心，不要闹出什么乱子。尤其是母亲，她经常把年迈不堪惊吓的话来劝止我参加运动。但是她明白国家灭亡了，家庭不能存在的理由；她更理解救国是被压迫民族的人民的天赋权利，却不料救国会变成犯罪。

我嘱咐过了，在探捕急迫的催促中，从容地随着他们出去。出门的时候，桂灵跟着跑出来，坚决地要跟着一起走，我因为她去了，也没有用，极力劝止她，她才怏怏地痴痴地望着我跟了大批探捕去上了汽车。

没有拘票，没有罪状，我从被窝里被叫起来，送到爱文义路捕房。

是的，日本报纸上曾经不断地透露出国内某一种人对于我们种种计算的消息；尤其在近几天，日本工厂罢工风潮澎湃的时候，天天造谣说是救国会在背后煽动，暗示对于我们的不利。我们的确是没有一天不在这样威吓胁迫，内外夹攻的骇浪中。但是我们所主张的，是停止一切内战，集中全国所有的任何力量，一致抵抗日益侵略我民族的日本帝国主义，争取中华民族的完整和独立自由。对于政府也仅立在国民的超然的立场，从政策上批评其得失，没有丝毫其他的企图。我们唯一的敌人，只有侵略我土地，杀戮我同胞的日本帝国主义。我们这种主张，只要不是殷汝耕之流的汉奸，而是中国人，我相信必定不会反对我们的。至于日厂工潮，则日本纱厂的工人，见了华商厂家赚了钱，都已增加工资，日厂赚钱更多，工人的生活不如牛马，不但不加工资，反而加紧压迫剥削，以致工人忍无可忍，才爆发了罢工风潮，决非任何人所能煽动。若说煽动，则日本人的压迫剥削，是最大的煽动力，与我们又有何关？所以我们的环境，虽然是那样险恶，但我们磊落光明，也无所用其挂虑。日本帝国主义者对于我们虽然深恶痛绝，“欲得而甘心”，可是我们并无“妨碍邦交”可以作为借口的行为；加以爱国和救国的言行，是任何国家的刑法所不罚；而我们的敌人，也还没有疯狂到直接来摆布我们的地步，我们当然也无所用其防备。因此，一切的警告和恐吓，都置诸度外！

我们的主张和行动，可以公诸天下后世，本来没有所谓秘密。同时我们都有公开的职业，公开的住所，也不必有所秘密。我们明知这样大模大样地有着极大的危险，我们不是不懂得可以做得隐藏或秘密些，但是并没有那样做，也正是我们的坦白无私，没有不可告人之隐。可是正因为太坦白了，我们在二十二日的夜里，很容易的被捕了，很从容的就逮了，——虽然没有拘票！也没有罪状！

没有拘票，随便拘逮非现行犯的人民，在法律上本来是不能容许的。公安局和巡捕房如此做法，充分表现他们是滥用职权，蹂躏人权！依法，警政机关拘捕非自己辖境内的非现行犯，一定要先请有管辖权的法院签发拘票。尤其在租界地，攸关国家的法权，法院的拘票，尤为必要。有了法院的拘票，再请巡捕房协助执行拘捕，乃为正当，且足以杜绝租界当局对于中国人民的非法蹂躏。在爱护自己中国人民的立场说，也应该如此做。但是公安局并不如此，却越过了中国自己的法院，直接去要求捕房对我们加以逮捕。轻一点说，是目无司法，损害了国家在租界内的法权。严重的说起来，行政机关逾越司法权限，等于推翻了五权分立的制度！这责任无疑要我们"贤明"的市当局担负了！

并且，公安局如此做法，如将来捕房援例不经法院核准，随便拘人，则中国法律和法院将等于赘瘰，十年来收回法权的努力，岂非废于一旦！

其次，租界市政当局和巡捕房更属违背协定，非法残害居民！因为《关于上海公共租界内中国法院之协定》第二条第一项，规定有"……所有中国现行有效及将来依法制定之法律、章程，无论其为实体法、程序法，一律适用于各该法院……”又第六条第一项规定有“一切诉讼文件，如传票，拘票，命令及其他诉讼文件等，经依本‘协定’设置之各**该法院推事一人签署后发生效力**……”所以照“依法制定公布”的《中华民国刑事诉讼法》，以我们都睡在被窝里，并非现行犯，应有法院推事一人签署的拘票，才得执行拘捕。捕房并无此项拘票，即属无权拘捕我们。现在竟然不顾协定，把我们捉起来，实在是违法之至！

我们租界内居民依法纳了税，并无丝毫法律上的保障，这是我们纳税人应该向工部局提出抗议的！

二　关进大鸟笼

铁栅门豁啦啦扣上，——我的心爆烈着。一把黑色的像小乌龟似的洋锁，仰着它那刀字形的嘴子，向栅门的拳钮孔里，咕咕咕咕穿了进去，终于拍达一声，又相互咬住了。我的心一阵痛，也像上了锁，咬住了。

——《光明》，屈轶，《监房手记之四》

十一月二十二夜二时半，我从家里被捕原来是上海市公安局请求捕房协助的，所以到我家里的公安局人员，处在主动的地位，人数也比较多，而也是最凶暴的，最狰狞的几个。捕房方面，是一个西探，一个华探，还有一个华捕，一共八九人捕我这手无缚鸡之力的没有罪状的“罪犯”。

到了捕房，我先经过了“写字间”，问明了我姓名，便被带到“西人包探间”。那是一间正方形的办公室，摆着三四个写字桌。壁炉中熊熊地燃着火，室中温暖得很。只有一个中国职员在用打字机打字。我被叫着坐在一张写字椅里。那个西探走进走出，一会儿打电话，一会儿与公安局人员谈话看他们的证明文件，特别装出一种忙乱的样子。当这个时候那个打字员和善地向我问是什么案子，我告诉他我也莫名其妙，究竟犯了什么罪。我故意地叫他去问公安局的一伙儿，我说他们要捉我，并不曾告诉我捕捉的原因，到底为了什么案子，只有他们才知道。我说了以后，那打字员果真问他们。可气又可笑！他们竟然也说不知道。他们说是奉了命令来捉，只知道捉，不知道别的。但是他们说的时候，面孔上好像表示有些隐痛似的。其实，他们都明白的，只是说不出口来我是犯的“救国罪”罢了。“人皆有羞恶之心”，只有没有了天良，丧心病狂的人才无所不用其极地摧残爱国运动；稍为有些良知的人，做了违反良心的事，也有说不出的痛苦的。他们这样说了以后，我实在再也忍不住了，我便告诉那职员说，我从来没有犯过罪，现在也没有一些可以当作犯罪的行为，况且我自己是执行法律业务的一个人，我知道犯了罪，在法律（真正的法律）上应受怎样的制裁，我决不会以身幸试。我相信我不曾犯罪，所以他们也说不出我的罪名。但是据我的猜想；我最近很努力于救国抗日运动，也许我的罪状，就是如此，也说不定。因为有许多救国会会员，曾经屡屡被捕，被他们加上种种不相干的罪名，来诬陷他们。恐怕我的案情，也是那么一套。

我说完了这话，我很想抓住这个机会，对这一伙直接毁坏救国运动的做了盲目的工具，而还不曾明白的可怜的人们，给予一个唤醒。所以趁此，我便老实不客气发挥一些凡是中国人都应该共同救国，不应自相残害的理论，给他们听。这个时候，我知道他们对于拘捕救国分子，衷心也不是愿意的；所以我有意说他们是执行命令，还可以原谅。果然，这种话很有灵验，有二个伙伴给我打动了，立刻说出“我们也没法子”的话来。我深深地相信凡是中国人，谁也不愿做亡国奴的。本来，这一辈被生活压迫的人们，都是抗敌的基本队伍，是毫无疑义的。然而他们却不自觉的做了日人的工具，替日人在清除反抗者，那是多么痛心的事！

公安局的人员去后，隔了一会儿，那个西探便要我的口供。我们二人面对面坐在一个写字桌面前，他问一句，我答复一句，他把我年岁，籍贯以及受教育的经过，教育费的来源，以及职业的情形，一一都写了。最后加上一句是救国会的执行委员。仅仅是这样，便成了这“犯人的供单”！

“犯人的供单”，由西探交给了那个打字的职员，教他译成中文，以备明天送呈法院。那位职员很客气地要我自己去翻译，我首先是拒绝了；后来由他说出西探所写上的意义，由我根据他的口述，写成译文，我还签上一个名字。

这时候，我已经非常疲倦，我就在椅子上作假寐，但不上几分钟，我又被移到楼下“写字间”去。那间屋子的一半，被柜台围绕着。二端靠着墙壁，柜台成为一个L形。对面沿窗口的中间，造着一个六角形的铁笼，三个角靠着外面的大天井，原本是这间屋子里的窗户，不过加上密密的铁梗和网眼铁笆。其余的三个角，都是长条铁柱，从地板直通天花盖顶。沿着铁柱的周围，也包满了铁网。另有一扇同样的铁门，以通出入，完全像一个大鸟笼。我从前在这外面，接见犯罪的当事人，现在变成了被接见的人了。我走进这屋子后，便关进这铁鸟笼，键了铁门，还加上铁锁。

这六角笼的全面积大概只不过三尺光景，地上放着一个铅桶，还有一些肥皂头，在铅桶旁边一个值差的华捕，要我打手印，教我在铅桶里洗手；我首先觉得桶里的水不洁净，没有听他的话，但是后来知道打手印非洗不可的，所以洗了手，走出鸟笼，在一只指模台上打十个手指的指模，分别的，合并的，打了一大套，足足费了五分钟。又量我的身长，重新把我送进鸟笼去。华捕也跟着进来，教我交出袋里所有的东西之后，和马路上"抄巴子"一般地又在我周身摸了一遍，把我留在大衣袋里的眼镜也拿去，还把我的皮鞋带子取下。我便担心我走路不便，我要他不要拿走，他告诉我本来连裤带都要解除，照例不能有一根绳子或带子留在罪犯的身上，我是被特别优待了。的确，第二天我在笼子里过夜的时候，捉来许多人，每一个都被命令着把衣裤脱得精光，一丝不挂的由他们检查，衣服的夹层边缘，都细细看过，甚至连口和耳都检查过，怕有什么夹带似的。我很幸运地连衣服都没有脱下一件，要算不幸中的幸事。

捕房方面的手续，到这地步大概都完毕。我便站在鸟笼里面。除了地板窗子以外，没有一点其他的东西；因为洗手洗好了铅桶也拿掉。我口里非常干渴，频频咳嗽；可是半点水没有喝。站了好久，腰和脚都感觉酸痛，好像要断下来的样子，精神非常萎顿。我虽然早准备着遭遇不幸，总得吃一次苦，但终于因为身体不结实的缘故，到这个时候便忍受不住了。我只得把身体靠着墙，勉强地支持下去。但是到后来无论如何站不动，于是不得不仍旧靠着墙坐到地上去，把眼睛闭上了养神，一直等到天明。

早上将要七点钟的时候，鸟笼里又送进大批的人来，一个个在笼里加上了手铐，二个人一付，我也不能例外，和另外一个人左右手拷起来。值差又点过名，预备送到法院“解公堂”，但不知怎样，我拷好了的手铐，忽然由写字间里的值事西人关照，解除下来，单独拷了一付，说是另行送到法院。于是那一伙都由巡捕押了“解公堂”去，我仍留在笼子里。将近九点钟的时候，我被一个西捕，一个华捕和一个华探坐了汽车，送到法院去。据说，这也是优待的缘故，这是第一天我在捕房里的情形。

三　说不出犯罪事实

犯罪事实，非经积极证明，不得认定。

——最高法院二十一年上字第一〇五四号判例

事实稍欠明了，尤应详切调查，不得稍涉含糊，致日后无法补救。各该法院长官，有监督之责，并应勤加考查，随时指导，庶几真实得以发见，疑惑得以解决；既足以昭折服，上诉案件亦可随之减少。倘仍习蹈故常，不尽职责，一经查实，定即依法惩处！

——二十六年二月二十四日司法行政部训令，训字第一二一三号

在公共租界里有二个法院，等级不同，第一个是初级的江苏上海第一特区地方法院，除了内乱罪等和危

害民国罪，及其他特种规定的犯罪外，一切刑法上的其他犯罪在上海第一特区内的都由它管辖第一审。第二个是第二级的江苏高等法院第二分院，它管辖不属于第一审，和不服初级法院判决而上诉的案子。换句话说，如属妨害国交罪，或危害民国罪，那末第一审便由第二级的高等法院管辖，否则，便由第一级的地方法院去审理，界限非常明晰，不能随便混淆。在上海这两个法院，同在一处，北浙江路俗称新衙门的便是。

当我解到法院去的时候，捕房里便不知道把我送到哪一个法院，一会儿说送地方法院的第五庭，一会儿又说送我到高二分院的第一庭。这证明了我犯的什么罪，到送法院的时候，还未弄清楚，虽然“欲加诸罪，何患无词”。然而无罪可加，当已显然！公安局固然不能辞滥用职权，违背法律之责，但是捕房毫无根据，滥捕无罪状的居民，岂能免徇私枉法之讥。

我被捕的时候，满以为是我单独一个人的事情，所以在第一篇里我曾说过，在我跟探捕出门以前曾嘱咐家里人通知沈钧儒章乃器两先生替我主持公道。一直到法院去的时候，还是这么想着，不料，我正在“捕房律师休息室”听候他们发落到哪个法院去的当儿，另一簇探捕拥着沈钧儒，李公朴，王造时三位先生也到这休息室来。我要求主持公道的人，现在也被“公道”所弃，一起被捕了。我们一见之下，说不出的感慨，只有热烈地紧紧握着手来表达我们内心的悲愤。那时候，我才知道同时被捕的还不止他们三位。在法租界的还有章乃器，邹韬奋，史良三位先生，一共是七个人。

后来总算决定把我们四个人解到高二分院第一庭。当我们走到那边的时候，一个广大的法庭，已经挤满了旁听的人们，和重重叠叠的法警探捕，空气很为紧张，戒备也比平日严重。二个很长的“律师座”上也挤满了律师，有的是我们的朋友，有的是我们的辩护人，合并计算起来，至少有二三十人之多。律师这样地拥挤，这在法院里也是不多见的。形势严重，可以见得出来。我们四个人，每一个有三位辩护人，我也已经由我的表弟邵文炳和我的同事杨天逊律师在一夜里替我请好了蔡六乘汪葆楫二律师，连杨律师自己在内，在法庭里全穿上了“法衣”，预备保障我们法律上的权利。

法庭里的人愈挤愈多，空气也愈来愈紧。旁听席里和两旁站着坐着的许多人，都在交头接耳，窃窃私语。他们把目光不断投射到我们的座位那边来。法院里的职员，也三三五五地来来去去，都到法庭里来探头张望，好像事件特别严重似的。我们坐在旁边的长凳上，大约恭候了一点钟之后，从法庭后面，走出了五位法官：那是三位推事，一位检察官，一位书记官，高高地坐在法案上。

坐在中间的审判长，第一句话开口，就说："本案情节重大，禁止旁听。"于是旁听席里许多人，不得不一一退出。法庭通出入的门，由法警闭上了，那里边的空气，愈形肃穆起来。

因为沈先生他们三位，都住在愚园路一带，系由静安寺路捕房去拘捕的缘故，所以他们三位先我而被传到"被告栏"去。最先是华西探捕的报告拘捕情形，其次是公安局代表陈述请求协助拘捕的原因。那是一个穿西装的青年，大概也不过三十多岁，意态傲慢地好像以拘捕救国分子为荣的样子，走入"原告栏"。但是也许这位代表不大上过法院，他说话不无有些颤抖。一会儿说他们三位有反动嫌疑，一会儿又说是鼓动工潮；说了半天，没有确定的说出他们究竟犯了什么罪。再其次，便问到他们三位，他们最先就提出对于非法拘捕的抗议，并承认是全国各界救国联合会的常务委员，主张抗日救国。第三说明公安局的诬蔑，因此反对移提。最后由他们的辩护人九位律师根据种种法律，轮流辩论，提出立即释放的要求。结果是由法院裁定责付律师，担保出外，改期再讯。于是他们得以暂复自由。当他们退庭走出门外的时候，外面一阵欢呼和拍掌的声音，震颤了我的耳膜。

于是传到我，我便走入被告栏。所谓审判长者的一个推事，照样地问了探捕和公安局代表。那位代表，我很清楚地认识就是到我家里捕我的那个侦缉员。依然一脸横肉凶狠地走上前去，和前面那个代表一般地说了那一套话。审判长问到我的时候，我也承认是“全救”的常委，我也同样地驳责公安局代表的陈述，全属虚罔，毫无根据。我的辩护人蔡六乘律师在我说完以后便站起来，操着他圆熟安详的国语，说明我的为人，决无反动行为并根据了《关于上海公共租界内中国法院之协定》第六条第二项的规定：即“在公共租界内发见之人犯经各该法院之法庭调查后，方得移送于界外之官署”，反对公安局之非法主张，反复论述，移送公安局必须先行“调查程序”，查明是否确有犯罪事实，并提出证据，证明以后，才能决定移送与否。如果不经调查，不问有否有此事实，不问有无证据，仅凭空洞的言词上的陈述，而贸然逮捕并移送实属违法，有失中国法院司法独立的尊严，说得异常精确透辟。同时并经汪杨二律师加以补充。最后因为和沈先生等案情一致，也裁定责付律师保释，他们三位争着签字把我保出，送到了我家里。

四　“绑票”——第二次被捕

拘提由司法警察，或司法警察官执行。

——《刑事诉讼法》第七十八条

侥幸在江苏高等法院第二分院得到了“责付律师，案子改到二十五日上午再行讯问”的裁定，我颓丧但又高兴地回到家里。

我走进母亲的房里，啊呀！满室围坐着来探视的亲戚。母亲满面泪容，躺在卧床上。她病了，自出事起，她的心震荡得一直没有停止过；她怕冷，身体软软地没有力气可以坐起来。我有什么话去安慰她呢？我们唯有相对默然而已！但我并不悲痛，我只有愤懑！这成什么世界！救国变成犯罪！非法可以随便拘人！

仅仅十小时之间，家里的情形，已经大变。我眼见着母亲的惊悸成病：桂灵苍白而颓伤的面庞，孩子们呆若木鸡的态度；亲友们面面相觑的种种反常的、悲伤黯淡的情景，心里是酸是苦，什么都不能辨别！

案子决定在二十五日上午再行讯问，还有整一天半的时间；我要趁这时间，做一些准备。因为这案子虽然已经由法院受理，好像可以获得法律上的保障，但是我私想既然对于我们动了手，陷阱一定会布置得很周密的。许多年来事实昭告我们法律原不过是一种工具，而司法不能独立也是多数人周知的事实，要靠法律作保障，其程度是有限的，没有拘票，没有罪状，可以随便拘人，不就是一个最好的事实例证吗？——我在法律界中混了几年，事实和理论的教训，我有了这个理解。所以我虽光明磊落，俯仰无愧，却不得不深具戒心，不能不准备一种牺牲。因此趁还有一天半的时间，把私事布置一个妥当，准备入狱。

我有着承办的各种案件，——职业上的事务，我应该处理得清清楚楚，这是我应尽的责任。我的生命或事业可以为爱国救国而牺牲，我的当事人却不能因为我的爱国救国受到不应受的影响。虽然我的当事人会因我的行动正大而谅解我，但是一个人在其本身的事业上，如有乖误，我是认做一种罪恶的。我不能让我的当事人，受到一点牺牲。同时我一家的生活，依靠着我一个人的劳力来维持，我对于家庭的责任，同样和我的当事人一样。我也不能让无辜的老母和小孩子们为了我的入狱，而濒于饥饿失学。所以回家以后，身体虽是疲乏得需要一个休息，但是时间仅有整一天半，许多事情不一定布置得周妥，因之不得不拖着疲倦的躯干，到自己的事务所去把承办的案子稍为整理一下，托了一位同事，继续为我进行下去。同时又急忙忙地向一个地方筹措一笔款子，作为安家之用。这样差不多已经将到四点钟的样子，我又回到家里。

大概是七点钟的时候，突然一个生疏的声音在电话里响着。他告诉我法院里又出了拘票，今天夜里重新又要把我捉起来，拘票快要送到捕房去，叫我立刻离开家里。

这显然是一个同情的报信。一个不认识的朋友，把这样一个秘密消息通知了我，我感动得几乎流下泪来。但是我曾经怀疑这个消息缺乏正确性；甚至怀疑到这是恶意的恫吓，因为我们的案情，依今天法院的情形看，公安局要捉我们，说我们犯罪，连犯罪的事实，都举不出来，所以给我们保出来，那里会严重到如此地步——保了出来，再行拘捕的地步，何况我们每个人都有三个辩护律师负责担保，又何况我们都有一定的住所，毫无逃亡的意思。这消息的确使我迷惑起来，但细想一下，觉得既已一次非法拘捕，二次三次也何尝不可，本来还有什么法律可讲！所以相信这消息一定可靠。而且当夜的事实，也证明了这种不需要的猜疑是错误了。

我得到了这个我认为正确的报告以后，便立刻向其他各位去报告，和商酌应付的办法。可是他们都忙着别的事情，没有回过家。我家里人知道了，都逼迫我暂时离开家庭，于母亲和桂灵再三的逼迫之下，我在十时左右决定出发到朋友家里去暂过一宵，准备依照法院指定的讯问日期到庭就讯。

孩子们都已睡熟了，他们不知道今天深夜又要有虎狼们来滋扰他们尚未回复的惊碎的小心。他们也不知道他们的父亲，连这一夜睡眠的权利，也被剥夺了，我无心再一个个去吻别他们，黯然地辞别躺在床上颤栗着的老母，和眼泪将要夺眶而出的桂灵。

弄堂的人声，已经寂静，若明若暗的街灯，凄惨地高悬着半空。我走出弄口，刚刚踏上街车，出人意料之外的，弄口一爿泡水馆里突然奔出几条彪形大汉——就是昨天那几个——真如猛兽扑人地，一齐冲上街车，把我包围起来。来势凶暴粗鲁得非常可怕，简直要把瘦骨嶙峋的我吃下的样子，此推彼扯地把我拖下了街车。我正严厉责问他们的时候，一个管马路的租界警士（上海语称“立角嘴巡捕”，其主要职务为立在马路中管理车辆交通），优闲地从原来那个泡水馆的茶桌上，踱了出来，不问情由地要我“行”里去。

“绑票！”从稀少的行人中发出这样的呼声。真是再适当没有了。既非中国官厅的警察，又非租界当局委任的人们，竟然无法无天到这样绑架掳人！租界巡捕委弃了应尽的职务坐在泡水馆做埋伏，莫名其妙的叫人“行”里去。这是租界警务当局命令他这样做的吗？我真不明白居民纳了市政总捐所受到的结果却是这种绑架？使我不得不怀疑，租界巡捕是不必守法的了。

我这样重新被捕之后，大约是十时光景我又到了捕房，仍旧在鸟笼里过了一夜。那个值差西捕对我还相当优视，当我依然无力支持坐到地上假寐的时候，承他嘱咐华员送进一只椅子，和一个车垫来。我如获至宝地，用以勉强过了一晚，疲乏得以稍为恢复。在捕房的三夜中，这一夜要算是最舒服的一夜了。这个西捕常常和他的同事谈话，谈到我的事，很像表示同情的样子；我反而觉得**万分的惭愧，中国人救自己的国要成犯罪；外国人却来同情，使人真有哭笑不得之苦！**

二十四日就是第二次被捕的明天，我曾上下午二次从捕房由他们解去法院“上公堂”。但是上午缠误了，所以当时就回到捕房。回来的时候，我由华探带到楼上的“华人包探间”去。这里使我看见了很多的宝贵的人间的真相。我在里面看见种种不一的面孔，踢打拉扯的姿态，听见哭喊叫饶的声音，以及原告失败的苦脸，凶手胜利的骄状。

那里有一位胖胖的值日华探，知道了我的案情以后，也表示相当的同情。当我家里送来面包的时候，他很殷勤地叫我喝茶，跟我随便的谈。听他的语气也很愤慨。我虽不能肯定他是由衷之言，然而像他那样受帝国主义者直接支配的人们，能有相当的民族意识，总是难能可贵的事。其实中国的大众，在这几年来，饱受血的事实的教训，几乎没有一个不明白抗日救国是中国民族唯一的生路，迫切要求着这民族解放的神圣的战争，把所有失地收复。所以我们主张抗日，无处不是我们的同情者。所恨的，不抵抗主义把中国大众麻醉，欺骗，压迫得他们意志消沉，而日趋于消灭。在目下我们还可以随处看出大众们潜在的抗日意识不时的透露，不过如果长此压迫下去，我恐惧日后一旦真和敌人抗战的时候，这广大深厚的人民大众的力量，国防上最重要的人力的分配和补充，将不复为我中华民族所有了！那是谁造成这结果的呢？总之，现在不知道把大众们这种宝贵的抗敌意识好好地培养起来，把他们好好地组织起来，反而加以摧残压迫，真不啻代敌人造成有利的地位，自己做了敌人的清道夫而不自觉，这是何等痛心的事！

五　提前讯问

犯罪事实应依证据认定之。

——《刑事诉讼法》第二六八条

刑事诉讼，以发见真实主义为目的，故犯罪事实，必须有确实证据证明之，始得加以认定；否则，即应谕知无罪。

——最高法院二十一年上字第七四号判例

第二次审理本来定于二十五日上午九时。但是保出之后，突然又把我们捉了去，便不得不提早于二十四日的下午开庭。我和沈王二先生在前夜重行被捕，分别从捕房里移到法院；李先生则未住家里，免了第二次的被捕，但他在开庭前的一刻钟，自己投到法院来。

这一天的讯问是公开了，并不禁止旁听，但是警卫特别严重，中西探捕密密地包围了宏大的法庭，旁听人也分外拥挤。我只看见法庭里所有的凳都坐满了，站着的也分做了前后几排，空气紧张，比昨天更利害。

推事“升座”之后，依旧先行讯问沈先生等三人。审判长就宣说他们三位是住在越界筑路区域，高二分院没有管辖权，应即回复逮捕时原状，当时并把拘票撤消。所谓回复原状者，换句话说，就是由逮捕时的公安局人员把他们捕去罢了。这原是很巧妙的办法。因为这样一来，法院方面，可以借此推卸责任，说起来法院并不把他们移送公安局，非常冠冕堂皇，但是实际上却是交给公安局的意思，同时也合了公安局的原意。却不料事情弄巧成拙，竟留下了法律上难以补救的缺憾。

第一，他们三人是由租界捕房直接逮捕的，公安局不过请求捕房协助，而非由公安局自行拘获。如果回复原状，那末他们便完全回复自由，而且拘票业已撤消，捕房没有拘票，便不能再行逮捕他们。他们应该自由自在不受任何拘束，公安局根本不能移提。第二，李先生是自行投案而非有拘票拘来；根本已无拘票，捕房当然没有权力制限他的自由。这种理由，是非常合法而且强有力的，所以他们三位自己，和七八位辩护人此起彼落地根据这几点从法律上、事实上详为推阐，对于这种决定，加以严厉的辩驳，使得法院和公安局代表噤口无言，双方相持，为时很久，窘迫之状，顿使法院空气，更形紧张，全法庭里面的人面，都呈现着激忿，一时不能和缓下来。

但是结果怎样呢？在法院依法撤消拘票之后，于中国法院里面，在高坐法座的法官目睹之下，业已恢复自由的中国人民，被没有中国法院拘票的租界外国警员非法带去。**把法院出票拘提中国人民的法权，轻轻送给了他人，全国人民数十年以血汗换来的这一点点的国权，一旦付诸流水！**

法庭里立刻起了动乱，我突然看见一个人站起来，同时我耳膜上彷佛打着一个“岂有此理！中国还有法律吗？”的激昂的呼声。

他们由捕房探捕，拥着出去以后，便进行讯问我个人的部分。我是住在租界区域内的，情形和他们不同，不能这样“巧妙”地把我交给公安局，所以公安局坚决地要法院把我交给他们提去。可是他们一点也不能把我犯罪的事实说出来。依照昨天我的辩护人的论断，没有移送之前，应先调查事实，有无犯罪，所以审判长重问我姓名年籍后，开始进行调查，便问我救国会的种种情形。当他问到救国会的宗旨时，我那时的情感，突然激昂起来，我不再觉得法庭上有着尊严的法官，我放着喉咙告诉他："日本帝国主义五年来不断的侵略，要灭亡我中华民族。这铁一般的事实，凡是中国人，没有不要挽救这亡国的惨祸的。"我大胆地说："眼看着强敌抢我土地，杀我民众，一天天紧迫，一天天残酷，如此而不想抵抗，不主张抗日，还能算是'人'吗？"我的话显然是含着强烈的讽刺的意味，但是法庭里仍旧静寂得很，这一个投石，不曾引起一些微波。

审判长又把公安局给我加上的种种罪名，如鼓动工潮，参加"九·一八"纪念殴击警察等事情，问我有没有做过。我坚决否认这凭空捏造的说话。我要求法官命公安局代表陈述具体的事实。我理直气壮地说："工潮是很多的，我究竟鼓动哪一个工潮？是哪年，哪月，哪日的事？是哪一个工厂发生的？……这许多问题公安局既然这样说我，那末他们一定知道很详细，应该一一说出来。至于‘九·一八’纪念游行，那末这一天我在什么地方？什么时候？怎样与警察冲突，哪一个警察受殴等？也一定有事实，有证据，尽可详详细细，原原本本的说出来。决不能一无根据，含胡其词，随便乱说。”

我说了以后，法官果然问着公安局代表；可是，事实胜于雄辩，他简直瞠目不知所对，只有“顾左右而言他”。

可是事情毕竟有安排的。

审判长旁边另一个推事的座前，安放着一本薄薄卷宗。原来那卷宗里的案子，是几个青年组织了一个所谓火花读书会，因他人煽动日本纱厂的工潮，不知怎样牵连了他们，被高二分院以“危害民国”罪判处徒刑。据他们所供，都加入职业界救国会的，所以那个审判长竟断定这件事和救国会有关；同时因为我是救国会的负责人，我也变成了有关系了。他居然还提出一本判决书，说这几个青年曾经供有口供，说我与他们有关系。

我简直没有梦想到有这么一个火花读书会，更做梦也没有做过与火花读书会会员的案子有关系。我听了以后，真所谓“丈二长的和尚，摸不着头脑”，弄得莫名其妙。我于是要求审判长把他手中的判决书发下阅看。那才是出人于意料之外，万万想不到我从头至尾翻了一遍，审判长口中的事实，判决书上竟然半个字都没有。我不得不请求他指出“有关”的地方来。

这可为难了，我站在被告栏里，仰着颈项定睛望着高高在上的法官，静待他指示我“有关”的地方。可是，静默了半晌，并没有下文。只看见左傍的那个法官又把身子凑过去，咕哝了一会儿，中间的那位又开口了。

他说：“这案子现在因为被告等上诉最高法院，详细案卷，都不在此，一时未能查出。但是工部局另有笔录副本，可以对证。本案候另阅工部局笔录，改期明天，再行调查。”说着便宣告退庭。

我于是又延长羁押一天。然而我还得为中国的司法庆幸，就是犯罪事实清楚以前，法院不许行政官署把我提去，总算一次保留了司法独立的尊严。

六 回押捕房

西洋法律，号称文明，而事实则反。缘有友人来沪不幸交友不慎，致受牵累。经工部局捕房非法用电刑逼供，……更受工部局指挥下西监之苦，三阅月方能与亲友接见一次，见其面黄肌瘦，不忍卒睹。据云：在牢日不得一饱，言时声泪俱下。噫！姑不论其冤狱与否，在中国之土地，受异国之罪刑，而监内暗无天日……

——上海市第一特区市民联合会致工部局函

沈先生们三位毕竟“迂回曲折”“莫名其妙”被公安局如愿以偿的移提过去。我呢，公安局不仅不能说出我到底犯了什么罪，甚至连怎样犯罪的情节和事实都没有。法院对于沈先生们的处置，已经闹了一个笑话；也许是不好意思再把没有犯罪事实的我，给公安局平白地移提，说是尚须“调查”，所以又改期明天，再行开庭，命令把我回押捕房。

本来由捕房到法院，由法院到捕房，我们都拷着手铐；到了法院和回到捕房就把手铐解除，天已有寒意，铜铁质的手铐，冰冷而又坚硬地扣在手腕之间，给我以无限的精神上肉体上的刺激。虽然爱国受罪，即坐牢犹无所怨；区区手铐，何足挂怀。但是爱国应该无罪，受此待遇，实觉有所不甘，今天大家特向法庭提出要求免除。法庭总算在认为被告系有身份者的理由之下准予免铐。所以这次回到捕房的途中，双手恢复了自由。

捕房中今天的值日西捕和华捕，都换了人。出乎意料之外的，是那位年轻热情的华捕。当我回到了捕房仍旧关进鸟笼去的时候，里面已经有几个人在里面，这位青年正在检查他们的身上。他一见了我，便问我是不是沙律师，好像知道我似的。他大胆地热烈地对我表示深切的同情，严厉地批评摧残救国运动的等于自杀。他一边检查，一边不断问我救国会的种种情形，又告诉我捕房中的人员，虽然是被目为最没有国家观念的，然而在他们二三百人中也有着七八个同志，头脑清楚，爱国思想非常浓厚，新思想的书报也常常阅看。他那种谈话，充分流露着真情，我得到了精神上无上的安慰，使我二天来的愤激和疲惫，都归于消灭。

他殷勤地问我有无吃过东西，问我是否腹饥，要我指出要吃的东西，由他去买来送我。从被捕到这时，整整二天，除吃了一二口面包以外，什么东西都不曾咽下口过；又想到家里送东西，受捕房种种限制，虽然还不觉得饿，同时也不愿辜负他的美意，我便告诉了他，请他买了一些鸡蛋糕一吃。到了晚上，他偷偷地买了送给我吃，我是感激得说不出话来。

他曾经问我前二次如何睡法，我告诉他说就是睡在这“鸟笼”里的，他暗暗地对我说想一想法子，使我更舒服一些。我当时是怎样欣幸遇到这样一位同情的朋友，得到如此的便利。心中以为二天来受罪的“坐卧”，今天也许可以得到些进步。不料到了傍晚的时候，我从“鸟笼”被送到“拘留处”的牢房去。直到最后，不曾掉换地方，粉碎了我美丽的幻梦。其实这倒并不是他欺骗我，他是没有权力一定要使我住得舒服适意些，我是非常明白的。

那牢房是一连三间的水门汀的屋子，傍着“写字间”的东面，前面就是广阔的大天井。屋子三面都是厚墙，靠天井的一面，有二重走廊。每一重面前，都是一道铁栅栏。第一重的栅栏上更装满了铁网。右边一端，每重各有一扇铁门闭锁着。这倒像特别的“保管库”，不过人在里面，从铁栅网可以很清楚望着外面。在外面望里面，则只看见衣衫褴褛，蓬首垢面的人影憧憧往来，有所不同。

第二重走廊里面铁门的旁边，另有一个小间，那是大小便的地方，虽然在外面看守的巡捕可以把装就的抽水机关，一抽拉，加以冲洗；而溺粪还是狼藉满地。室外的门旁边，有一方寸地积满了灰白色臭药水，四边吐满着涕痰，一见令人作呕！

至于走廊里面的牢房，地上是完全水泥做成的，没有地板。踏进门，是一条和门一般宽的狭带似的行走道，其余五分之四是水泥高炕。离地约一尺光景，白昼可以坐着而夜晚则睡在上面。室中除了墙壁和水泥地以外什么都没有。光线除从门里射进一些之外，白天不亮灯，简直暗无天日。后面墙上高高的地方虽然也有二尺长方的玻璃窗，但那玻璃厚得透不出一丝光亮来。

到了晚上，水泥地里好像渗出蚀骨的寒气，令人颤抖。临睡的时候，由华捕分送每人薄布似的破棉毡二条，其污秽龌龊，更属不可名状。牢房里床椅都一无所有，每个人都席地而卧，我本来决定“坐以待旦”，等许多人都在高炕上排列着睡好了以后，就在行走道上坐下，背靠着墙壁，等待天亮。但是疲倦腰酸，愈坐愈下，身体渐渐接近了地面。幸好穿上的春季大衣，便把大衣作为垫褥，不得不横在这狭带似的走道上。只觉得夜气侵骨，苦楚难挨；但是疲乏过度了，也糊里糊涂的过了一宵。这里面一二十人，除当天关进去的以外，都是面容苍白，憔悴可怕，因为家属接见，既所不许，自备衣食，也被拒绝，不得不挨此非人的待遇。其实，**这样对待未决的嫌疑人，不但与中国《刑事诉讼法》的规定完全违反，也是毫无人道背离公平的非文明的举动。在这里我们更认识了帝国主义对待殖民地次殖民地人民残酷的行为，他们在自己国家里对待他自己的人民，决不容许如**

此的。

所惋惜的，依照中国政府与租界当局订定关于设置法院的协定，租界的管狱方法，应依中国监狱法令办理；中国司法主管机关有随时派员视察之权（《关于上海公共租界内中国法院之协定》第七条第二项）。但不知是自己放弃主权或者是充“目”不“见”呢，还是租界当局顽强不受“协定”拘束，以致租界中的“狱政”竟仍不依中国法令办理，如此虐待中国的人民，倒是值得严重注意的问题。我们如尚有保护租界中人民的观念者，应该怎样依照“协定”的规定，来努力消灭这违反中国法令的处置啊！

至于吃的问题，也是恶劣到无以复加。第一，每人都有一定的“限度”，有人吃着不够饱。第二，和糠一般所煮的所谓“饭”，稀薄粗劣得使人咽不下口。第三，盛饭的铅皮罐满是铁锈和垢秽，看了就令人作呕。这样还不许家属送来。关在里面不吃要饿，吃了不免要病。我因那位青年华捕送我的蛋糕，还可充饥，宁饿不吃。但是有一个姓曹的什么印花烟酒税局局长，简直不像人的样子了。据他说，他在里面关了三四十天，既不解法院，也不释放，他哀哀地恳求我出去的时候，写信给他的家属营救。“关了三四十天，不解法院，不释放”，我首先不相信这事实，但是看他长长的头发和散乱的胡须，披满了一头一脸，决非短短的日期所能假装的，虽然他“一面之辞”不可轻率地断定确有其事，但是也不能一定否认他绝对不会有此事情。中国人在租界中受着非人的非法的待遇，显然已有事实摆在眼前，我不禁要问一问“谁去救救呵！”

这样，我愈觉得抗日的神圣战争的重要；无疑的，整个民族一旦得到了解放，这些枝节问题是不会不解决的！——至少是解决起来非常容易的！

七 重行调查

刑事诉讼，采实体的真实发见主义，故认定被告犯罪事实，须有明确证据，自不能以模糊影响之词，入人于罪！

——最高法院二十年上字第一六〇六号判例

虽证据之取舍，得由审判官自由判断，而必以证据为前提，不得任意或凭空而为判断！……仅凭个人理想之推测，率以“难保”，“自属当然”等字样为结论，并无确切肯定之断语，迹近周内，殊与《刑事诉讼法》所采之主旨不合。

——二十一年四月十四日司法行政部通令训字第八四二号

我终于经过了形式上的第三次讯问，移送公安局去。

上天，法院因有几个青年组织火花读书会业已判罪，他们都是救国会会员，认为与我有关系，需要提出笔录以资对证；所以改期一天，重行调查。

这一天的情形，因为只有我一个人的缘故，旁听席里虽然依旧挤满了人，但是警备方面，比较上天，是松懈得多。开庭的时候，就由工部局律师提出笔录副本传给了审判长。他把做就特别标记的地方随便看了一看，仍旧继续他昨天的问话，对我问这样，问那样，最后他说火花读书会几个会员，都与上半年鼓动日本纱厂工潮一案有关，他们都供说是我介绍到救国会做会员，问我认不认识他们。

我做的事，我应该负责。救国的工作，更无所用其讳避；有则有，无则无，我决不躲赖，诿卸，也不怕什么牺牲。但是我没有做过的，别人所做的，我就不应该掠人之美，代人负责，而且也不能由我来负责。审判长所说的案情，在情形上看起来，好像有根有据似的，然而一按实际，的确是“大谬不然”！

事实终究是不能虚构的。法官说我与火花会员有关系，与工潮有牵连的话，我根本就没有这事。我想法官那么郑重说来，也许有人会这么诬攀我的，为明了究竟，我不得不请求法官把有根有据的笔录给我看。

厚厚的一本笔录，我接着看，全是打字机打成的英文，英文中间嵌有二三个中文的姓名，我的名字也赫然写在里面，大约有三四页都这样的。但我细细地一行一行地念下去，无论如何，我寻不出一点我与火花读书会或工潮有关系的地方。

原来，我的一位很好的朋友，他有一天去访问一个他的朋友，不料到那位朋友家里去的时候，这位被访的朋友，因为工潮嫌疑被捕了，我那好友无辜地也被捕了。他的确是救国会会员，的确是我介绍的，他是一位热心工作的会员，但是他在法院里被调查的结果，他毫无罪嫌，并不因为努力救国会的工作而判罪。不，并不因为努力救国会工作，而变成犯罪；工部局对他单纯参加救国会不承认是犯罪行为，所以提起了公诉之后，从新撤回，连罪犯嫌疑都没有。他既无罪，于我自然更无关系。审判长发下的笔录上有我名字的缘故，就是这位朋友所供是我介绍到救国会做会员，而并不是火花读书会会员所供的。

另外，笔录里，也有火花读书会会员的供辞，我又细细翻阅，则寻不出半个字与我有关系。于是我又毫不留情地向审判长说明笔录里并无一丝一毫的记载，我与工潮或火花会员有关。我再请求审判长切实指明第几页、第几行有着他刚才所说的那种情形。

因此，那本笔录又在我被告栏前面的木条上，由庭丁递上法官的法案，他仍是那末随便翻了一翻，一声不响，顺手又递给了工部局律师，意思命他指出与我有关的记载。那胖胖的坐在法案旁边的律师，接了以后，翻前翻后，看了又看，翻了又翻，大概有几分钟的长久吧。这时候，法庭里静寂地没有一点声息，所有的人都凝神注目着那忽东忽西闪动着的律师的手臂，和那倏上倏落的笔录上的纸张，却始终不见他指出有关系的地方来。

这样又过了一会儿，只听得我的辩护律师的声音，从后面发出来，他说："笔录上既然没有被告有关涉的记载，而有关涉的是无罪的人，那末充分证明了被告没有犯罪的事实。退一百步讲，即使笔录上有什么记载，那末工部局的笔录，并非正式的‘公文书’也没有证据力。现在公安局如不能提出被告之犯罪事实，即不能移提，应该即予释放。”

继续又和公安局代表律师作了激烈的法律上事实上的辩论，到审判长依例问我有没有话要说的时候，我已经明白这案子到了这种情形，可以告一段落了。今天是释放，或移送，就在一二分钟之内就完全决定。形势是这末地显明，交了保还发拘票拘捕，沈先生他们也移送了，我岂得幸免？我极想趁这一刹那间的机会，把我蕴蓄着的意思，吐露出来。我极想说“希望法院维持中国的司法独立的尊严，和法治的精神；给敌人一个教训，告诉他们中国还没有到殖民地的地步，中国的司法界还没有到执行敌人命令的地步！”话已经挂在口边，但是临时又把它缩了回来。

二位推事照例退座到法庭后面去评议，隔了一会，重复出来，审判长站起来宣示裁定“被告沙千里移送上海市公安局”。

我早料想这是必然的结果。我很坦然地跟公安局那位代表同去。但旁听座里我那许多亲友都现着各种异样的神情，有的走来和我握手，叫我保重；有的点着头，对我示意；我看出他们的眼眶里，有的竟饱含着泪珠，有忍不住要落下来的样子。

这一回，我经过三天的讯问，感想很多，尤其关于法权无端的被蹂躏，感到异常的痛心！法院目睹捕房探捕没有拘票拘捕非现行犯的中国人，而任其自由，这无异把法院签发拘票的权利取消了

其次，越界筑路区域，既非租界，还是中国的领土，那末拘捕中国人犯由中国警察执行，无须请求租界协助，这是天经地义的办法。但是公安局竟然不承认自己的领土主权，要去请求外人协助，简直承认越界筑路区域，变成完全的租界，说它有意断送主权，或许嫌得严刻一点，然而公安局昏聩胡涂，开此恶例，使外人有所借口，可以当作他们正真的租界，自由行使警权起来，其罪岂不可。诛！岂仅可诛而已！

八　移送公安局

下列各员，于其管辖区内为司法警察官，有协助检察官侦查犯罪之职权：一，县长，市长；二，警察厅长，警察处长；或公安局长；三，宪兵队长官。

前项司法警察官……如接受被拘提或逮捕之犯罪嫌疑人，认其有羁押之必要时，应于二十四小时内移送该管检察官……

——《刑事诉讼法》第二百〇八条

离开法院，很快地我就到了公安局。

汽车在局里停下，我由原来的两个便衣探员（？）（其中一个就是那代表）领导，上了楼上一个休息室模样的屋子里。

三天来的折磨，使我羸弱的身体，感到不能够支持的苦痛，我看见墙角里放着一只藤椅，当我走进屋子去，里面的人让着我坐的时候，便老实坐了，靠着椅背，伸舒一下。这里并不像巡捕房那样严肃正经，我猜想不出是什么地方；后来才知道隔壁一个屋子是挂有一块“特务股”的牌子的，我猜想这一间总脱不了是特务股的房间了。茶房还倒茶给我喝，我二天没有进过一口水，见了茶，如获至宝，顷刻饮了三杯，也不能管忙着那倒茶的了。

那位“代表”把我安置在这里后，我在里面坐着，陆续有很多职员模样的，在门外探头张望，我只听见低声的语音，好像是说着我的名字。我看不见沈先生他们，呆呆地坐着等候给我的发落。大概经过一小时光景，一位穿中山装的职员跑来，教我跟着他走，我不知又到什么地方去。

跑下了原来走过的扶梯，转了一个弯，走上了石阶，又走上一个很堂皇的大扶梯，穿过铺着地毯放着沙发的一个会客室，我见着沈先生他们了。大家又紧紧握着手，互相慰问，尤其沈先生慈爱之情，溢于言表。王先生穿着长袍，外面罩了一件西装大衣，内长外短，依然不失他大学教授的风度，在房间里踱来踱去。

我纵眼一看，是一个长方形的房间，朝南出入的地方，是左右四扇落地的长窗。中间砌着一片小墙，光线还相当充足。北面是粉刷着的墙壁。靠着墙，直放着三个矮铁床，床上铺着新的被褥。在中间一只铁床的前面，放着一个屏风，离开屏风前面一二尺，是一只小圆桌。靠左面的墙壁面前，放着三只藤做的睡椅，全房间大概二十尺深，十五六尺阔，所以并放着三只床，还有相当的余地。到了晚上，他们在三个床位里，又加上了一个，预备给我用的。我便和李先生二人分占东西靠壁的二只床；王先生在我的右边，沈先生又在王先生的右边。

朝南通出入的地方，是一个阳台。在这里三四个背着盒子炮的“武装同志”分站四角，严密监视着。房间里另有二个人，我是不认识的，原来是一位工友穿着中山装，虽然是布的，却很挺直，倒显得年轻英俊。另一位是特务员，我已经记不起是怎样一位人物了。因为他们三小时换一班，人又常常更换，一天二十四小时，就须换好几次，每次的人又不同。今天这一班，这个，明天那一班，又是一个，我住在里面九天，换的大概不止一二十人，记也记不清。所谓二十四小时者，就是夜里，我们就寝以后，他们还依旧监守，在房间里张着眼睛看我们。

经过了一夜，我感觉比了巡捕房的确优待得多了。但是我奇怪，如果说我们是罪犯的话，那末同一犯罪，就不应有优待不优待的分别；如说没有罪，那末根本就不应该拘捕。我知道依法只有有罪无罪的区别，而没有优待不优待的差异。为什么要优待我们呢？不就是不应该拘捕的表示么？我这样怀疑着。

九　七个死刑

人民有结社集会之自由，非依法律，不得停止或限制之。

——《中华民国训政时期约法》第十四条

上海日本纱厂工人，因不堪资本家的虐待，和工人的穷苦无告，相约罢工。租界各捕房，同心合力的拿捕工人，尽法惩治。同时对于主张公道的报馆，也作出蹂躏出版自由，和拘传主笔的酷烈手段。……我们仔细观察之后，可以下一断语，由华盛顿会议以至今日之时代，各国对于中国所用的侵略政策，比之庚子联军之役，以至于欧战开始时代，更进一步！

——汪精卫《国民会议国际问题草案》第一〇三页

我们在公安局首先几天，看报尚有自由，上海各种报纸，都得向他们要求阅读。我们感到寂寞无聊的时候，就拿来消遣解闷，尤其是《华美晚报》登载我们的消息最多，我们都以一睹为快。所以我们早上一起身，晚上一上灯，便要那位工友去拿报。有一天，大约是我到公安局的第二天的早上，我们四个人又大家分着看报，不知谁发现了一则关于我们的新闻，于是我们便围拢来挤在一起看。那是本埠新闻栏里第一段用着大号铅字排着醒朗的题目。我们一读，原来是上海市政府的布告，完全为着我们的事而发表的。换句话说，是在宣布我们的罪状，什么组织非法团体，勾结赤匪，妄倡人民阵线，煽动工潮，颠覆政府，危害民国，……等等，凡是足以成为罪名的，惟恐或遗地一一都加在我们身上，好像非此不足以耸动观听似的！

但是，我们惭愧得很，我们并没有这种神通，也没有这种企图。布告上这样地说我们，我们倒有些“受宠若惊”！

第一，所谓组织非法团体，当然是指救国会而言。那末救国会是不是非法团体，可以把事业来说明。去年（二十五年）中央执行委员会举行第二次全体会议，即所谓二中全会的时候，救国会为了要求大会决定大计，一致抗日，曾派遣代表团向该会请愿。当时我记得在开会的第二天，大会接到代表团的呈文后，便由主席团派了南京市长马超俊代表大会接见，并接受请愿团的建议由他带向大会报告。这一件事实，充分证明救国会并非“非法”而且是“合法”的团体。因为大会曾经颁布过一个规则，就是凡人民请愿非合法团体，概在禁止之列。救国会既经由大会接受请愿，其不是“非法”非常明显的。

在次，所谓煽动工潮，那末日本工厂里的工人，受尽非人的压迫和剥削，要求改善生活，增加工资，原是无可诽议的事情。况且中国纱厂早已加过工资，而日本纱厂赚钱比中国纱厂更多，不但不加，反而加紧剥削，加重压迫，工人忍无可忍，爆发了工潮亦为理所当然。然而日本纱厂雇用大批流氓，增加武装陆军，横施摧残！并且关闭厂门，断绝工人生计，以致几十万工人和其家属濒于饥寒。而说中国人不应予以同情，或者稍为捐了薪水去救济救济他们，便是煽动工潮，成为犯罪，那末人类的同情和互助，是不是都变成罪恶了吗？

再次，所谓勾结赤匪，所谓颠覆政府，所谓危害民国等等，这在当局简直成了呆板的一套。凡是主张抗日的，凡是参加救国会的，都适用这一套，可以随便加在一个人身上，无须乎事实，无须乎证据，“救国即是危害民国”，成了新的逻辑。

我们自信光明磊落，我们看了之后，倒也并不惊异所谓“欲加之罪，何患无辞”，所以很觉坦然。我们还说着笑话，假使照此说法，真有那样的行为，一共七个罪名，那末倒真是罪该万死，至少有枪毙的可能。不但如此，只须有其中任何一个罪名，已经可以枪毙一次，我们共有七个罪名，那末每人应该枪毙七次，合算起来，我们七个人便要枪毙四十九次了。为了我们的缘故，要使中国消耗四十九颗可以打击敌人的子弹，我们是不愿意的！

一〇　对质

人民之生命财产，与身体之自由，皆受法律保障。——其经合法程序而剥夺之者，司法院及其所属，有提出质询之责。其非法剥夺之者，以越权论；司法院及其所属不提出质询者，以旷职论。

——十八年六月十七日第三届二中全会
通过《治权行使之规律案》

第二天晚上，一群职员忙着在我们房间隔壁的一个办公室里搬东西，搬床铺。我们大家都明白法租界被捕的三位，今天得移来这里了。我们觉得他们比我们已经多吃了一天苦，很希望他们早一些来。同时我们的案子，归并在一起之后，也许可以早一点解决。所以我们看着他们忙着，大家引长了颈，望他们三位来。我们并商量史律师的铺位问题。我们想先替她安排好了，她一来便把我们的意思贡献给她。但是等了又等，到了十点钟，他们依然没有来。我们不能明白是什么原因，大家互相猜疑着。

二十七日晚上，他们来了，不过他们仅仅来了二位，缺了史良律师。本来他们可以在我们等待的那晚由高三分院移提过来，所以迟了二天的缘故，第一天因为法租界捕房对于他们三位认为毫无犯罪行为，不予起诉，依照法租界当局与中国政府所订的协定，捕房不起诉的案件，嫌疑人犯便不能移送界外。换句话说，他们二位便已恢复自由。但是高三分院却把他们交给检察官去侦查，所以他们又在那边多关了一天。到了第二天，江苏上海地方法院又去了公文，说他们有妨碍秩序嫌疑，向高三分院移提。于是他们又到南市江苏上海地方法院去兜了一个圈子，住了一夜。据他们说：他们在四天内游历了三个监狱，觉得非常幸运。

他们在高三分院被宣告不起诉，被交付检察官侦查，又被地方法院提去，在法律上的确面面周到，做得天衣无缝，没有闹成笑话。但这种曲曲折折的戏剧性的情迹，令人看来仍不免要认为真是一出戏剧在串演，只觉得“法律”不过是“袍笏登场”而已。

还有，《刑诉法》的规定，只有警察机关将人犯移送于法院，——审判机关，——却没有法官检察官侦讯的人犯，移送于警察或公安机关。不要说懂法律的都应该知道，就是稍有常识者都可以推理得之。他们二位的移到公安局来，据二位告诉我，当他们决定移送过来时，他们曾经当庭提出质问，回答的理由是很巧妙的，说是与公安局里的我们来对质的。对质，把警察机关的人犯，提到法院去对质，才是正常的办法；由法院提向警察机关去，岂非上下颠倒，置法院的威信于何地？

他们来了以后，我们减少了一些寂寞。一天晚上，大约离市政府发出布告那天，不过二天吧，那一位专任招呼我们的袁主任，告诉我们晚上局长送我们一席菜。我们觉得日常的饭菜，已经很够好的了，大家正不安着用了公家的钱。到了晚上，局长也来了，我们边吃边谈。据他个人的见解，以为抗日救国，政府与人民并没有二样，所以这件事，实在出于“误会”。他们能希望把“误会”解释，便没有问题了。这虽是他一个人的意思，但是和市政府布告上所说的不是相差太远了吗？“误会”不知究竟误会在什么地方，也不知道误会竟到这样的程度！虽市政府下的局长，恐也说不出所以吧！我们随便的谈，谈的也相当痛快，没有像法院里那样严肃呆板。

这一席私宴，在私谊上是很融洽的，但于我们猜想这一席也许具有作用的，不过在“公事”上却没有谈出什么结果来。

散席以后，我们不免又想到前天市政府那个布告，和今天这样的情形好像太矛盾了。我们竟不知是阶下囚还是座上客！我们中有人说着笑话，这并不是矛盾，也无足为奇，大概执行死刑前，犯人都吃一个饱的，我们既是优待，所以特备一席。大家笑了，准备明天“从容就义”！

一一　夜审

人民因犯罪嫌疑被逮捕拘禁者，其执行逮捕，或拘禁之关机，至迟应于二十四小时内移送审判机关审问。

——《中华民国训政时期约法》第八条第二项

我们到公安局，沈先生等三位最早，我次之，章邹二先生最后。最早的六天，最迟的两天，都已过了好几个二十四小时，但是我们并没有被传问或侦讯过。我深深知道，凡是有犯罪嫌疑被捕拘禁的，至迟必须于二十四小时之内移送审判机关，这是明明白白规定于中华民国的根本大法“约法”和《刑事诉讼法》上的。现在过了几个二十四小时，而并不移送审判机关，而且也不侦查讯问，这不晓得还是国家的法律不生效力呢？还是有人在破坏国家的法律?

我们本来很明白这件案子是政治的，而不是法律的，实在不必牵涉到法律问题去。而当局则必欲深文周内，迂回曲折的弄到法律上去。然而毕竟因为谈不到法律——依法律便无法可以拘。我们，以致一举一动，无一不是违背法律；乃令法律尊严，司法体面，国家法权，扫地无遗，所以我对于本案必定要指出种种违法悖理的地方，让人们也知道，目无司法，玩弄法律，是怎样损害国家的举动！我的原意，倒并不是为了我个人，或我们几个人发泄一些牢骚来指摘法院，或个人，以取快一时。

要知国家的法律，是最神圣的。假使一个国家没有法律，也就罢了；如果有的话，就一定不许有一丝一毫的违背。如认为法律不能适应某种事件时，就直截了当把法律改了去迁就事实；只要法律经过合法的手续，甚至这种法律是违背公平的原则的，倒也未始不可。世界独裁国家，也不无这种例子，可为佐证。——德国希特勒政府废止魏玛宪法就是一例——实在不必扭扭捏捏，一面眩着装门面的法律，而一面却自己在卸除大门。这种有法律，等于无法律，视法律如儿戏；把法律破坏得体无完肤的勾当，失掉国家的威信，决非一个现代国家所应有的。我并不是提倡违反公平原则的法律，我以为法律原本是一种工具，谁统治，谁就可以制定利于统治的法律，这是千古一律。法律的本质，原本如此，不必讳言的。因此握有立法权的，尽可随心所欲，针对着自己的需要，制定法律，免得行为上违反法律，毁灭了法律。例如二十四小时移送审判机关的一条法文，在事实上若不方便，那末在法律上索性改长些，或者就不定时间；如此则搁上几十个，几百个二十四小时，不送法院也无妨碍。——这种规定是违反公平原则的，自当别论；然而终不致发生造法者自己毁法的事实，至少保持了法律的神圣，这原是纯粹从法律观点上讲的。——既然并非如此规定，而法律上明明是二十四小时必须移解法院，则法律神圣，即不得稍违！应照法律办理！

一直等到三十日的夜里，——从沈先生们到了公安局后的第六个二十四小时，司法科长来告诉我们，今天要和我们谈话，这无疑是“依法”讯问了。

讯问就在铺着地毯的那间会客室里。那间客室，布置得本来很富丽堂皇的，我们白天在那里接见我们许多亲友，今晚是被司法科“接见”了。

我们在自己房里静待着，最先沈先生被请去，谈了一个多钟头。他老先生把救国会的组织宗旨以及一切主张等，源源本本对那科长谈了，并由书记笔录了下来。其后依着法院里的次序，循次讯问。科长非常和蔼谦逊，每人问毕后，都是自己跑来请次一位的。

临到我，我便跑到会客室。问话在后半间举行。一只原来的小圆桌作为“问案”。科长和书记左右分坐着，我坐在他们二人的中间，面对着后面的玻窗。科长前面的桌上放着许多案卷，因为台子过小放不下，其余还有许多的文卷，放在靠墙壁那个长沙发上。他手里也拿着一束，向我和缓地问着，我依着问逐一的答复。我想假使一切法庭都能做到如此，我相信“冤狱”也许可以减少许多的问话的内容。除关于总的救国会的一般问题外，对我个人特殊的几点，大概是这样的：

“职业界救国会你在内吗？”

“我是发起的一分子，现在是理事之一。”

“还有谁是理事？”

“很多，但是在‘救国有罪’的环境里，我不愿宣布。他们都是很有地位，很有学问，赤诚爱国的分子。如果今天宣布救国不是犯罪的，那末我明天就可以宣布。”

“会员有多少？”

“一二千。同情而未曾加入的，多到不可计算，并且一天天在发展。”

“有没有共党分子？”

“不知道。救国会素来的主张：是不问党派，不问职业，地位；不问信仰；只要主张抗日救国的，都应该团结起来。所以职业界救国会里，在职业方面，有经理、老板、买办，也有伙计、学徒、老司务，以及一切自由职业者如医生、律师、新闻记者等。在信仰方面，有基督教、天主教，也有佛教和反宗教者。在党派方面，除国民党党员外，因为环境不允许他们宣布，他们也不肯宣布，救国会里无从知道他们是属于哪一党派。所以有无共党分子，简直不知道。即使有了，也和国民党党员一样，大家一律以抗日救国为目的，不是实行某党某派的主义或政策，当然不必拒绝，况且他们也不告诉救国会说他们自己是共党。脸上或外表上又无共党的标志，所以无从知道有无共党。”

“火花读书会你加入吗？”

“不知道有火花读书会这样一个团体。”

“它是职业界救国会的一个会员。”

“职业界救国会只有个人会员，没有团体会员。”

问话到十时以后才完毕，我们预料对于我们的处置，可以“揭晓”了。

一二　苏州途中

把我们的血肉，筑成我们新的长城！

——《义勇军进行曲》

我们要做主人去拼死在疆场；我们不愿做奴隶而青云直上！

——《毕业歌》

在报上，一则小小的新闻说：沈钧儒等一案将移江苏高等法院“依法”办理。“依法”这是我们所愿的。但是章邹二先生从高三分院移提的理由，是“妨碍秩序”嫌疑，这个“妨碍秩序”罪，“依法”应由地方法院管辖第一审，如果移到江苏高等法院，显然是管辖错误；换句话说，是不合法的。假使说不是犯的“妨碍秩序”罪，应该送高等法院也未尝不可，但是，以前的移提理由，便不合事实了。所以不论应该不应该送高等法院，总有一个不合法的。

看了报，大家猜测到什么时候实行移解。我们以为这一晚半夜里，我们说不定又要从被窝起来，重温十天前的“功课”。可是经过平安的一夜，不曾料着。

午饭刚刚完毕——这是第十个二十四小时的那一天，司法科科长匆匆地跑来，低声和沈先生说，立刻要动身到苏州去。我们虽觉突兀，但是昨天早已知道了，所以倒也很镇定。我们想到家属们一些都不知道，他们不免又要惊慌；我们要求通知家属一见后再走。这个意见“依法”没有被容许。大家没奈何，只得急急忙忙收拾行李，好像逃难似的，把衣物胡乱向箱子里塞的塞，打包的打包；一面又要留下条子告知家属，形色非常仓皇，说得不好听一些，简直有些狼狈。收拾好了，局长也来招呼着。预定好的团体客车，也停到了大天井里，我们不由火车，而从沪锡公路向苏州前去。

看守我们的弟兄们，经过了十天，情感一天天增长，他们都对我们表示同情。我们到苏州去，他们也被派做

“押解”的任务。一位早夕相处的工友，更是依依不舍，一定也要送我们去，招呼我们，并再三要求我们把他留在法院里，跟我们在一起，其盛意热情，我们每个人都感动得很。

团体客车，虽然很宽畅，但“押解”的人员，却超过我们二倍以上。武装同志和他们的小队长、侦缉队员，连我们六个人，满满地装了一大车，还遗下几个弟兄另坐“小车”。局长、科长们招呼送上了车，科长也坐了流线型的自备车，随后赶上来。另外又有一部装行李的汽车，一共四辆，如飞地驶向苏州。等到家属在“接见时间”去探望我们的时候，我们早已过了南翔了。

车子由徐家汇路绕中山路走向锡沪公路，我们走过丰田纱厂。红圆的太阳旗，高高地悬着，迎风飘荡。围墙内机声轧轧，仿佛告诉我们，他们正在日夜无休止地压榨我们劳苦大众的血汗。我想起前几天澎湃的工潮，那时成千成万的大众，为了饥寒，怒吼一般喊出他们要求改善生活的呼号，震颤了侵略者的心胆，慌乱了陆战队的手脚。那时候警察的皮鞭铁棍，陆战队的铁甲车与枪弹，和千万的劳苦大众，血肉模糊，混作一团；而现在静悄悄只有这轧轧的机声，表示着压榨，压榨，无休止地压榨！

车子过了真茹，显现了一片带着微黄的原野，四望无际；久蛰在房子里的我们，见了心胸为之一畅。李先生坐在前面，口里微微唱着《义勇军进行曲》的调子，章先生也低低地和着。大家正感着长途的寂寞，将要感觉烦躁的时候，听到了都有点兴奋，所以大家也跟着唱起来。于是声音渐渐响起来，而且越来越响。我们的情绪跟着也激昂起来。车里许多弟兄们和侦缉员，和我们相处已久，这时候，也被歌声融化在一起。因此我们要求他们一起和我们唱，我们把歌辞的意义，——特别是《毕业歌》和《义勇军进行曲》详细解释给他们听，由李先生做领导，一、二、三，“起来！不愿做奴隶的人们！”“前进！”“前进！”大家唱起来，几十个声音并成了一片，激昂雄壮，有如万马奔腾，怒涛汹涌。一曲歌罢，兄弟们互相击掌，情绪的热烈，熔解了囚犯和押差的界石。

将到苏州之前，我们又推李先生代表向他们致临别辞。李先生说到沉痛的地方，竟然流下泪来。据他说，他先见弟兄们中有的在流泪，所以也忍不住了。这可以证明民族思想都潜伏在大众的心头，现在是被压制着不获发泄呀！

到了苏州的平门。汽车不能进城，于是我们六人和携带案卷的职员，换乘了黄包车。随来的弟兄们，前后左右围绕着步行，我们的车子在中间跟了弟兄们缓步在大街上拉，这情形像我们在游行示威，也像被游街示众。有一位弟兄在车旁对我们说，他们不是押解，或监视我们的，他们是在保护我们，做我们的卫兵。这一句平常的话，我们深深地觉着充满了同情的气息。在中途，弟兄们也坐了车子，如此一共三四十部黄包车，一条长蛇阵似的蜿蜒前进，引起了市民很大的注意。

车子进了高等法院里面大天井，一齐放了下来。法警们有的认得我和沈先生，忙着打招呼。我们被引入女待审室，外面许多弟兄交代清楚后，我们大家点头作别，有不胜依依之概。那位年轻的工友因格于法院规章，不能留住，我们不得不忍痛握手分别；我们没法成全他的好意，却是一件很大的憾事！

一三　到了江苏高等法院

有些人认为我们不应该向当局说话，那是太错误了。救国团体不是一个夺取政权的团体，在本质上不应该、不需要和当局对立的。我们对当局应该有政策之争，然而绝对没有政权之争。

——全国各界救国联合会成立大会
《工作检讨》第十二页

我们唯一救亡图存的要道，在立刻全国团结一致，以全力抗敌，救国阵线曾一再的主张：全国各实力派即日停止**一切自相残杀，消耗国力**的内战，从速团结起来，一致对外。

——全国各界救国联合会成立大会《宣言》第一页

中国当前的危机，是整个民族的危机。这

和法国以及西班牙的危机——社会危机——比较，真是严重几十百倍。中国目下的联合战线，是民族战线：那内容比法国西班牙的人民阵线复杂得多了。

——全国各界救国联合会成立大会《工作检讨》第二十二页

我们由公安局移送苏州的江苏高等法院，在我是觉得非常怀疑的。我们是不是应该由它来管辖，却是很大的问题。

怎样来决定哪个法院管辖？第一要以所犯哪一种罪为标准。我在第三节里曾经说明，高等法院管辖的案件除不服初级法院判决而上诉的外，其余不过很少的内乱，外患及特种刑法规定的危害民国罪数种而已。那末我们犯的何罪，即以法院加上我们的来说，高二分院方面的四人——我和沈先生等三位——是“危害民国”假定作为没有问题。在高三分院方面的三人，“危害民国”已由法租界捕房侦查明白，不成立犯罪。他们移往公安局的罪名，是“妨碍秩序”这个犯罪行为，其管辖权属于地方法院而非高等法院，这便成了绝大的问题。

我已在上节指出，不再多赘。现在姑再退一步来说，假定移送公安局的罪名，虽是“妨碍秩序”，而侦查的结果，也是“危害民国”——这个说法，当然是假定的——那末他们在高三分院老早宣布不成立了，依《刑事诉讼法》上“一案不再理”的原则讲，不论送哪个法院，在法律上都是说不圆转的。

根据上述论点，案件虽在报纸上宣传“依法”办理，但是单就应该由哪个法院来管辖一点，加以分析研究，便明白与“法”相去甚远了！

我们在江苏高等法院承法警同志们斟茶倒水，特别招待，使我们感觉有些惭愧。我相信他们倒并不是以我们几个人的地位身份关系，而这样对待着我们。与我们同地位的人真犯了罪，到这里来，就未必受到同样的对待；所以这种随处都是的同情，使我们益发相信我们主张的正确，民族前途的乐观，我们只有更坚决更努力于这个民族解放运动，以取得最后的胜利，来报答深厚的同情。

坐在待审室里，看看墙壁上、玻璃窗上写满了的种种文字，全是些愤懑不平的字句，对于“法”字，充溢着不满和冤忿。文字虽粗俗，却都是真情至性之言，我们大家欣赏着，不免暗中叫好！我们等了好久，天也渐渐黑了，电灯在阴黯的待审室里，发出微弱的光辉，好像阴森森似的法警跑来请沈先生出去，说是连夜开侦查庭。沈先生去后，又依次一个个传讯，这一次问话和公安局里所问的大同小异，大概可以分成四项：

第一，说救国会反对政府，甚至有推翻政府的企图。我们的答复，是救国会主张救亡图存，在团结全国力量一致抗敌，我们决不攻击任何势力或推翻任何势力。我们是主张联合战线的人，决不作妨碍联合的行动。我们希望国内所有各种势力，都好好维护起来，统一起来，巩固起来，作为反抗日本帝国主义的巨力。我们对于任何势力，都不愿它有丝毫的损失。救国会没有任何政治野心，没有争夺政权的企图，纯粹站在人民的立场上，以超然的地位，作全国团结的呼吁，以尽一份人民救亡的天职。我们对于政府的政策，不惜有严厉的批评，这也是任何国家的国民都有的权利，决不是政权之争。既然没有政权之争，哪里会反对政府，推翻政府？

第二，说我们主张停止内战，有袒护共产党的嫌疑。

我们的答复是，我们主张集合全国的人力、财力、物力，一致反抗日本帝国主义。国内任何力量，不应该在自相残杀的内战下，有一丝一毫的消耗。尤其不愿中央在国内的冲突中，消耗了它高度优势的实力，积极毁灭自己的力量，消极加强敌人的力量。所以我们主张停止内战，而且这个主张，早在西南问题发生之初，即已公开表示，应以保存国力为前提，不应以武力为解决的途径。所谓袒护，显见不合事实。我们最主要的目的，在于不耗国力，一致抗日。共产党现在尚有很多的武装，无可否认的，也是中国的一部力量，并且它已一再通电表示，愿意在中央的指导之下，共同抗日，为加强对抗敌人的实力计，自以停止讨伐为宜。我们这种主张，也完全出于民族立场，毫无其他作用，并非对于共党有所偏好！

第三，是关于鼓动工潮，那是我已在第九节说明，这里不再赘述，以免重复。不过我特别觉得这个工潮是日本纱厂的工潮，我们的“民国”不是日本，与“危害民国”的罪名，有些牛头不对马嘴。除非我们的法院是日本的法院，或者还可以说我们是“危害‘帝’国”。

第四，是提倡人民阵线。我们的答复是，人民阵线是日本报纸有意诬蔑，随便地把这名词，加在救国会身上，以为挑拨离间的工具。我们从来不曾用过“人民阵线”四字，我们所提倡的是民族阵线，是救国联合阵线，是人民救国阵线。在国外如法国和西班牙，他们的人民阵线，其目的是在**应付社会的危机**，它所包括的党派，只有左倾各党，所包括的只有工农和小资产阶级。而我们主张的民族阵线，或救国阵线是**应付整个民族的危机，反抗全国人民共同的大敌，内容比人民阵线复杂得多。民族阵线在纵的方面，团结社会上的各阶级，横的方面，团结各党各派，是全民性的，**——汉奸当然除外，**与人民阵线有着根本的不同**。

以上种种主张，并且都有我们历来公开发表的文件和刊物，可以覆按。

问话经过二小时以上。那位检察官正襟危坐地坐在一个很小的法庭里，进行他的“侦查”。当问完了大家，一起重新被传去看笔录的时候，有个很有趣的事情，就是我们看完了笔录，大家就在旁边当事人的席上坐下。那是一张不长的长凳，几个人一坐便满了。所以最后看好的韬奋先生，他看见没有座位，就一屁股在律师座上坐下了。后来我们告诉他，通常在法庭里，被告如坐错了座位，是会被庭丁呼叱下来的。他听了，立刻现出局促不安，怪难为情的样子，到现在想来，还是很有趣的。

一四　押解看守所

踏进此地的人们啊！请你们且莫把一切的希望抛却。

——但丁《地狱曲》

沈先生被传问回来的时候，他被引到隔壁一间待审室去，把我们隔离起来；那时王先生在法庭上被侦讯，我们四人，围在一处在谈话着沈先生究竟被问了什么。突然一位穿长褂子的先生，推门进来，很豪爽而谨严地自己报着他的姓名、职务。他身材适中，虽然在黑黯的光线里，他的面貌看不十分清楚，但从他洪亮的语音，爽直的态度上，我已推测出是一位热情丰富的朋友。他告诉我们说，等到侦查过后，将往看守所去，他说一切都预备好了，叫我们放心。我们对于入狱应受的待遇，本来倒并不怎么关心，他既这样告诉我们，我们更不用担心了。

等到侦讯完毕以后，黑暗的大天井里，又停了很多的黄包车，穿着黑布制服，但不一致的法警，也挤作了一堆，准备出发到看守所。

又是长长地一连串的车子，两旁随着服装不一致的法警，走在狭隘的街道上，影响了行人的交通。二边店铺子大多已经放上了板门；没有放上的，柜台里的人们，见我们走过的时候，都投以惊异的目光。

不到一二十分钟，到了看守所，这是高等法院的看守分所。位在吴县横街。一进门便是一个小天井。两旁的厢房是办公室，我们在门外下了车，便站到天井中。这时候许多法警和观看的闲人们挤满了门口。地上堆着我们的十五件行李，益显得地方的狭小。不久一位漫画上“王先生”型的“所官”，手里拿着一本中国账簿，高高放在眼梢上，眼睛从眼镜的角里斜出去，凑着簿子看，逐一叫着我们的名字。这情形我猜想我们是被“点收”了。过后他又走回办公室，隔了一回又走出来，在先领着我们走向监房去。

一条狭长的甬道，二边都是高高的墙，约莫走了三四十步，转了一个弯，又是一条比较宽的长甬道，又走了几十步，迎面一个木栅栏，进去便是一个很大的庭院，比了刚在初进来的天井，要大过三四倍。庭院的一面，是很高的高墙，一面是一列六间的平房。房子面前，是水泥的走廊，木的栏杆栏着；两旁是浴室和诊察室。原来这并不是监房，是预备看守中的被告，患病时住用的。自从造好以后，病人没有过，所以房子一直空着无人住，我们来了，做第一号的病人，——算是政治病吧！

六间平房，早在我们未来之前，已经布置好了。靠近栅栏门的第二号一间，作为我们的饭所和会客室，另外三间，作为我们的卧室，每间放置二只单人矮床；床的中间放着一只小茶桌。其余二间里，一间置放所里的杂物，一间作看守居住的地方。

房间是长方形的，二头都有二扇玻璃窗。临着院子的一面，有一扇木门。门上挖了一个和人头大小的圆洞，铁闩反装在门外，并有置放被告人姓名刑期罪名卡片的铅皮夹子。在二室之间的墙上，高高的开了一个小方洞，电灯装在方洞里，在夜里二个房间合享这一“方”的光明。房间的后面，空出一条很宽的隔弄，隔弄的另一面，又是一垛很高很厚的墙。这是看守所特殊的建筑，以防备犯人脱逃的。

我们六人分占三个房间，沈王二先生一间，在会客室的隔壁，是第三号室。邹章二先生也是一间，是第五号室。我和李先生二人合住一间，夹在他们四人的中间，是第四号室。每间里，二个床位，一个靠窗些，一个靠里些，我们二人议定我用里面的一个。那个床很别致，铁的架子，搁着木板，硬绷绷的，以我瘦骨嶙峋地，睡在上面，木板与骨头相碰，常常大吃其苦。而木板的阔度也不够，胖胖的王先生，睡着翻身的时候，也有跌落的危险，所以他一直没有好好地睡过一晚。不但如此，章先生也很不舒服，因为他的个儿比较地高，而这个床的长度，也不够他伸直了腿睡，所以他不得不学着虾的样子，卷曲了身体，过他的“夜生活”。

这里也有一位工友，起先我们不知道他姓名，他本来是一位“候补看守”，所以他穿的是一套灰布军服。他经过很多的军队生活，抗日意识很浓厚，做事也很勤恳。后来我们知道他姓王，因此我们有时便叫他王同志。

他对于王造时先生特别殷勤。他说，等我们自由时，他要跟王先生一起出去。将来背着枪，站在汽车踏板上来卫护他。有一次，外面带进消息来，说我们快要自由了；他暗地里把“便服”也做好，预备一起走。但是结果没有如他的愿望，他心里的难过，也许有甚于我们！

我们在看守所，报纸是不许看的。虽然我们在法院时，检察官曾经说过或者指定一二种，但是后来也没有实行。甚至连杂志一类的刊物，也被扣留起来。因此我们在里面感到万分的苦闷，我们每天忧心焦虑的，是绥远战事的发展怎样，敌人的侵略，到了如何程度？起先，我们因为尚有接见的自由，还可以从亲友口里得到一些零零碎碎的消息，后来连接见都停止了，弄得什么都不知道，简直变成了一个木头人。中国的刑事政策，是取感化主义的；然而，这个情形我实在有些怀疑，要说“木头人主义”那倒名副其实呢！

一五　羁押生活

查刑事案件，经讯问后，须被告无一定住址，或犯罪嫌疑重大，而有逃亡、湮灭、伪造、变造证据，或勾串共犯证人之虞，或犯死刑、无期徒刑，或最轻本刑为五年以上有期徒刑之罪，嫌疑重大，且经认为有羁押之必要者，始得予以羁押。

所谓必要者，本系抽象之规定，意在任推检任意认定。近查各法院推检，对于刑事被告，是否合于羁押之条件，及有无羁押必要，并不审慎考量，借口逃亡串证，或嫌疑重大，滥行羁押，以致被告有无犯罪，尚不可知，已感受束缚身体之苦，所舍充塞，病亡时闻，……其结果不予起诉，或宣告无罪者，固已受累匪浅，……不特与刑事政策有关，抑亦非保护人权之道。嗣后各该推检，对于刑事被告，应否羁押，应负责切实认定。对于羁押中之被告，并须厉行保释责付办法。

——二十二年五月三十日司法行政部训令
训字第一四八三号

我们到了看守分所以后，想到中国的司法从民国以来，从不曾脱离过行政或其他势力的干涉，又以在上海经过的各种情形来推测，我们虽然已经移归司法来办理，而且司法界虽然也会主张正义、维持尊严，却还不许我们存有过度的奢望，以为可以即行解决。所以我们安详镇定，预备“长期牺牲”，因此我们的生活，不能不使它组织化，规律化。

第二天，我们便组织起来。六人的里面，沈老先生年龄最高，经验最富，在救国运动中，是最热心的领袖，而且爱护我们，有如赤子。所以我们便一致请他老先生做我们的“家长”。本来我们曾经拟议叫作主席，但是一想到我们被指定的罪名中，有一个是“颠覆政府”，这样一称主席，那末“图谋不轨”便成“查有实据”了。

并且在事实上，我们只有六个人，也仅像一个家庭，称他“家长”，是非常确当。所以便这样决定了。但是他老先生陡然增了五个小辈，而且牵牵拉拉的还有许多小孩子（统计起来约有十六七人），再加上各人的夫人，假使真是家长的话，恐怕也有难乎其为家长之慨了。

除了家长之外，我们分做会计、文书、事务、卫生、监察五项职务，各人分任一项。会计由银行家章先生担任；我们说笑话，他既是银行家，所以会计的任务，是包括筹措经费在内的，不单记记账便了，一切“资源”的开发，都在他职务范围之内。王先生在救国会本来担任文书一职，为“驾轻就熟”起见，就由他担任。李先生办理补习学校和图书馆，擅处理事务之长，不得不请他屈就事务一职。邹先生呢？他的态度，是那么严肃、正经，颇有“肃政史”之风，所以请他做监察，随时监督我们是否忠于职责。他文名满天下，我们以为他如椽之笔，搁置不用，是非常可惜的，所以要他兼做文书，以分王先生的贤劳。我被派做卫生一职，用非所学，不免觉得手足无措，有亏职守。幸亏没有干薪可领，得免监察委员提出弹劾。

我们每天七时半起身，大家运动半小时。运动也分成几种，一种是跑步。因为室外有一个很大的庭院，或叫它大天井，在天井中间有一个大圆圈，用砖石砌成牙齿形的圆圈。里面全是泥土，可以种植花木，我们便绕着这圆圈，沿了墙根跑步。每圈约有十五码左右，我们连沈先生在内，天天大兜其圈子。最多的可以跑六十五圈，约略计算，有一英里光景。

第二种是拳术。我从前在十七八岁的时候，因为身体衰弱多病，曾经加入精武体育会练过一二年。那时精武还在提篮桥培开尔路，有着很大的广场，空气充足而清新，我于早晨六时去九时回，仅仅随意的学习，使我得以逐渐走向健康之路，免做了肺痨病的俘虏；这是我生活史上最愉快的一页，深深镂镌在心坎。这一次，沈章二先生都在练习他们平日所练的拳术，引起了我美丽的回忆，也就跟着他们重温十余年前的课目。

除此之外，还有柔软操，和打球、推手之类。有的于下午傍晚行之，有的随意玩弄。我因为在六人之中，身体最差，他们都鼓励我，督促我把身体锻炼得好好的，将来可以多做一点事。我当然完全接受，不敢稍懈。所以我入所以后，早上练拳，从未有过间断，无可否认的在个人身体上的获益是很大的。

运动以后，即进早餐，工作则早餐后开始。下午与夜晚，也都在吃饭之后工作。工作之前，大都是休息闲谈，间或唱唱歌，说说笑话。

起先一星期，大家心绪不定，而亲友们也接续不断来探视，所谓工作者，大部分是招待探访的朋友，或在自己的房间里与自己的夫人娓娓谈心罢了。自从法院里下令禁止接见以后，漫漫长日，我们感到极大的无聊。这时期，写信作了我们经常的工作。一方面和家属互通声气，以免二地的挂牵；一方面因为书信又须法院检查，我们便决定通过信纸上的文字，来把我们平素的主张，唤起检查者的觉醒。所以有时我们每封信，有长至十余页的。写给家里和朋友的信，几乎都变成了论说。

老实地说：在现社会里，学法律的，不，以法律吃饭的，特别地保守，甚至只晓得捧牢了饭碗，不晓得其他一切的。虽然他们日常所接触的，都是社会上最现实、最尖锐的问题，然而尽在法律的圈子里沉浮，除了死板板的法律条文以外，对于当前的问题，有的简直毫无认识。国难如此严重，法律应该怎样地以共赴国难为目的，与解救国难的大业配合起来。若犹以守牢法律范围为努力本位，欣欣然自诩，这与“商女不知亡国恨，隔江犹唱后庭花”又有什么两样？甚至把救国的纯洁青年，置之囹圄，抗日运动，判作为危害民国的行为；如“民国”真成了日本的殖民地，那末为虎作伥，犹有可说；奈何尚未到此地步，其痛心为何如呀！

但是写信当为工作，过了几天之后，大家觉得太浪费时间了，于是大家规定了固定的事情。从事著译的，有邹先生续写他十余万言的《经历》；王先生译他的拉斯基的《国家论》；章先生写《救亡运动论》。沈先生精于书法，亲友求他“法挥”的很多；他长教的上海法学院，因募款建筑，要他五十份书件，所以他便以此为经常工作。我和李先生读书的读书，写作的写作，大家埋头努力，生活更有规律，而且各人也都有了相当的收获。

一六　禁止接见

被告得自备饮食及日用必需物品，并与外人接见、通信、受授书籍及其他物件，但押所得监视或检阅之。如有足致其脱逃，或湮灭变造，伪造证据或勾串共犯或证人之虞者，并得禁止或扣押之。

——《刑事诉讼法》第一百〇五条第二项

在上海公安局的十天，虽然限定时间，接见是有着自由的；而且对于家属的探望，尤有相当的便利。这不仅是人情上所需要，也是被告在法律上应有的权利。到了苏州，起先也同样可以接见，法赋的权利侥幸没有被剥夺。所以家属由沪到苏，由苏到沪；来了又去，去了又来，往返跋涉，不辞奔波，无非减少挂虑，求精神上得些安慰。同时各人的家事和职业上有着种种必要的接洽也就不惜费时费钱，来接见我们。

法律是准许被告与外人接见通信、受授书籍的，然而法院为了维持羁押的目的，对于接见和通信，可以加以监视或检阅，法律上如此规定，原是很公平的，当然不得随便禁止。如果一定要禁止，那末，一定也要合乎法律规定的条件，稍有欠缺，即不能随便滥于引用。这是法律防止滥行职权，以保护被告人利益的至意。否则，职权在握者，随心所欲，要禁止就禁止，要不禁止，就不禁止，生杀予夺之权，操于一人一机关之手，其危险奚堪设想。所以法律订明禁止有禁止的要件，依“法”，而不是依“人”或“机关”的意志。

什么是禁止接见的要件呢？一定要被告的接见，有一种情形，这种情形**必须足以**使被告有勾串共犯，或证人之虞；或者有湮灭，伪造证据的倾向，然后依法才得予以禁止。因为在羁押中的被告，不过仅有嫌疑，而身系囹圄，究竟有罪无罪，尚在不可知之列。不比已经定狱的，则所谓“罪有应得”，失其种种自由，尚有可言，若仅仅有嫌疑，而不能断定有罪与否，就把他这种有限制的自由，也剥夺殆尽，将来若宣告无罪，则其感受的痛苦，以及种种损失，将如何回复？在中国又没有冤狱赔偿法，那末被告又向哪里去取偿？所以不论从立法本意说，或就刑事政策说，都不应该随便禁止接见。

我们的被禁止，是不是有勾串及伪造的倾向或可能呢？如果说有的，那末早就在上海公安局的时候，可以大做而特做。那时对于接见，可说限制极宽，尽可随心所欲去做，然而并没有这种倾向或企图。不但如此，就说在苏州吧，起先也并不禁止，足见我们并无法律上禁止接见的“要件”。不料于十二月十四日突然宣布不许我们接见，甚至家族都不许。是不是以前都没有勾串或伪造，脱逃之虞，而十三日那天法院发现了这种情形呢？如果是的，那末依法办理，我们又有何说。但是事实可以说明并不如此。

自那天起，我们从栅栏门望外面，甬道里增加了三四个武装的岗位，肩背上挂着长枪，勇纠纠地往来梭巡着。本来看守所里也有看守守卫着。然而这几个新到的“老乡”的制服，和所里的显然不同，而且带着武装，武装也似乎“神气”得很，不问可知是从别的地方来的。

我们费尽了方法，得以知道倒**并不是法院派来的司法警察，却是行政机关苏州县政府保安队里的士兵**。

又有一天，忽然有三个不认识的人走进院子来。因为自禁止接见起，除了“看守”和工友之外，我们六个人，不能再见面生的人，不面熟的人也不得见了。这三个人进来，尤其在禁止后不到一二天，我们觉得尤其奇怪。他们虽然穿着长衫，但另有一个典型，这个典型，和十一月二十二日夜里急叫开门的人物，有很多相同的地方。我们当时便怀疑禁止接见之后，怎么还有人可以进来。我们起先以为是所里或法院里的同事，偶然怀着好奇心来观望的。但是后来证实了原来是**宪兵司令部派来的**，而且每天还在看守所门首，替换落班地来抄摘探视我们的朋友的姓名住所呢。

上面二件事实，说明些什么呢？我想不必加什么注解，贤明的读者已经很理解的了。

自从禁止接见以后，与外界几乎完全隔绝，精神上大受苦痛。于是我们不得不依法据理力争，要求接见我们的家属，要求依照法律在接见的时候派员监视，或限定时间。但是一次又一次，三次五次，七次八次，给我们的答复，都是一个“不”。我们每次的请求，都是用书面由看守所转呈法院，从送去至回复，总须经过相当的时候。在每次拟稿的当儿，我们每人都怀着无限的希望，以为这一次的请求，依情、依理、依法，不论哪一样都应该准许了吧！在等待回复的时候，我们幻想着准许的“圣谕”到来时，我们大家商议怎样使家属立刻就来苏州。有的建议写快信，有的主张打长途电话。总之，渴想接见家属之殷切，是不可以言语来形容的。然而每次得到的回复是一桶冷水。这种不管法律，不顾人情的残酷的赏赐，我们有领受不下之概！史良先生曾经说过，我们是“鱼在网中”；照这种情形看，我觉得这譬喻还不够相像，应该说“鱼在釜中”才对！

我们并不想受特别待遇，予以法外的接见；但是我们应该有与普通被告一样的权利，如果不给这种法律上赋予的权利，简直等于虐待。

就是退一步言，假定禁止有必要，那末应该也有一个限制，在某一时期禁止，或某一种人禁止；同时应该积极侦查，将案件从速结束，方为正理。何能一方面把案子搁上二个月三个月，遥遥无期地侦查侦查，翻来覆去的侦查，侦查得莫名其妙，既不释放，又不起诉；而另一方面，却长期无限止的不许接见，不仅违情悖理，简直是视法律如具文！

一七　侦讯了五次

讯问被告，应出以恳切和蔼之态度，不但不得有强暴胁迫，利诱诈欺及其他不正之方法；即笑谑怒骂之恶习，亦应摒除。

——办理刑事诉讼案件应行注意事项第十七则

……倘被告提出有利之事实，更应就其证明方法，及调查途径，逐层追求，未可漠然置之。……

——办理刑事诉讼案件应行注意事项第十八则

自从移到高等法院，一共经过五次侦讯，第一次是在到苏州当晚在法院里进行。其余四次，都由检察官偕同书记官到看守所来讯问。每次都以我们的会客室权作法庭。我们吃饭写字的桌子，当作了法案。检察官是一位未过四十岁的壮年，坐在正中，苍白的脸死板板地，似乎很不自然的样子，虽然好像要装作笑脸来问话，但是“一本正经”的程度却一点也不减少。有一次，他来监视接见人谈话的时候，偶然谈起，知道他却直接受过日本帝国主义炮火的牺牲。原来他以前在沈阳的法院办事，“九·一八事变”发生，便不能不挂冠南返，到关内来做法官。虽然做官，我们想他对于日本帝国主义的印象，该比我们深刻，抗日情绪该比我们浓厚呢！

书记官坐在桌子的右面，我们也坐着答复检察官的问话，这是和在法庭上不同的。

到我现在执笔为止，在看守所里的侦讯，前后四次。首先二次，都只隔了五六天。第四次和第三次相隔的时间，便有二十天之多。原来一次二次以至三次四次，问来问去，老是问那一套。三翻四覆地问不出新花样来，尤其关于人民阵线和民族阵线的问题，差不多没有一次不问，没有一人不问。我们一而再、再而三的说明，说得简直有舌疲唇焦之苦；而还是法兰西、西班牙、西班牙、法兰西这样不断地问。这个情形，直像一桶水在二个桶里，倒来倒去，一会把水倒在这桶里，又一会把这一桶的水倒到那一桶去。倒去倒来，倒来倒去，依然还是这一桶水。

邹先生去年在香港刊行《生活日报》的时候，在《生活星期刊》里曾经答复过一个读者的询问，说明人民阵线与民族阵线本质上的不同。中国所需要的是民族阵线而不是人民阵线。文字上写得非常流畅明晰，因此邹先生特地向家里要了全份，把来送给检察官请其附在卷里，免得我们的说话或者说不清，检察官的耳朵或者听不懂。结果，送了去，还是继续问。有一次，邹先生答复问话，说这二个阵线的分别，和他主张哪一个阵线，在他写的那篇文章里说得非常明白，可以覆按。不料他所得的答语，却是“文人著述全是‘言不由衷’的”。这一句话，直气得邹先生跳起来，他坚决否认他是“言不由衷”，他声明他的文字，负百分之百的责任，没有一篇没有一字不是“由衷之言”。说他“言不由衷”是侮辱他的人格，他要求记明笔录。我们五个人那时正被叫着进去签名。将近会客室前，里面邹先生的声音一句一句响起来，我们进去时，觉得空气非常紧张。看见二人的脸色都发了青，一个连续地说着“我要抗议”，“我要抗议”，另一个也不断的说着，“我有权这样说”，“我有权这样说”。

这一次的争执，双方还有许多话，我都没有记下来。这许多话，我觉得根本与本案无关，在法律上实在都没有说的必要。不说，对于本案并不会失了什么；说了，也并不会对于侦查有所补益。又何况邹先生那篇文章，不是在被捕以后做来欺骗别人，想来解脱罪名；他做的时候，也不曾梦想过这篇文章要有这样的用途。

侦查本来是诉讼中的准备程序。在这程序之中，讯问被告搜集材料，看有无犯罪证据以决定起诉不起诉。时间当然可长可短，视案情的复杂与否，及变化如何而决定。法律虽规定二个月为限，必要时可以延长二个月。但并不是每个案件一定要经过二个月或四个月以后才结束侦查，决定起诉与否。如果到讯问被告已无可讯问、搜集材料到无可搜集的时候，便应就所得的材料和问话，从速决定。认定有罪，就立刻起诉；如罪嫌不足，便立刻宣示不起诉，予以释放，以免拖延，使被告人长系缧绁，受累无穷。不能因为法律上有四个月的期间，却不负责任，莫名其妙，以侦查的名目，敷衍敷衍，置被告人的利益于不顾，一定要满了四个月再来结束侦查。

我们的案子，侦讯了五次，时期长至二个月；但照我推断讯问的经过，到第二三次便已没有可问的事，似乎早该决定有罪无罪。但是我们在二月二十九日[1]接到了江苏高等法院的裁定书。根据检察官的声请，裁定：

> 沈钧儒、王造时、李公朴、章乃器、邹韬奋、沙千里之羁押期间，自民国二十六年二月四日起延长二月。

延长羁押，在我们原只有遵守法律，可是法律上的规定，和司法行政部一再的告诫，对于羁押嫌疑人，应该衡情酌理，慎重考虑，有无必要，不许滥押，并且应该厉行保释责付办法。然而对于我们则拘羁二个月不够，“必要”延长二个月，既不能免于羁押，也不能适用保释责付办法，令人“百思不解”。现在一般人民看起法院来好像变成了“冤”薮，不能不说是有由来的。

[1] 原文如此。——编者注

侦讯中我还要指出二点：

讯问被告，本来不许用胁迫利诱欺诈，及其他不正之方法的，然而我一度在上海被迂回曲折地摆布过，后来又在苏州这样被问过：“前天来请愿的人你认得吗？你说出来，不要紧的。”只管问认得不认得好了，我不明白为什么要加上“不要紧的”四字。怕我不说吗？把这话来逗引我吗？我自知尚有辨别问话的能力，我不会因逗引而说出来；也不会因不逗引而不说出来。我是认得顾留馨先生的，他是我的朋友，他是救国会的会员，做救国会会员并不犯罪，我是要说的，哪管要紧不要紧。但是顾先生到后来毕竟“要紧”起来，被扣押了一星期。我对于这种问讯的方法，起了绝大的怀疑，是不是应该这样问的吗？我想到文化水准较低的报告，因不能辨别问讯包含着欺骗诈诱，以致受到不应受的痛苦和牺牲，连累了无辜的，不知多多少少，这是法律之过？还是谁之过呢？

第二，法官曾经对王先生等声称，教他们提出有利自己的证人，或担保人，以资讯问，他们因此提出马相伯和李协和先生等，因为马老先生是救国会执行委员之一，他曾经对访问他的新闻记者说过，他可以拿头颅来保证我们七人“无他”。李先生对于王先生也非常信任，可为有利于王先生自己的证人，但是提出了以后，被拒绝了。一方面教人提出，一方面却立刻拒绝。简直以问话为儿戏，视法律如弁髦！我深怕不是一地方，或一个人有此情形，那就成为司法界一个大问题了！

一八　停止律师职务

凡犯刑事嫌疑之律师，在刑事诉讼进行中，被羁押者，应暂时停止执行职务。

——二十二年十月七日司法行政部指令第一五三四七号

在我被捕以前，律师职务上有许多被委托的案件，都在诉讼进行中，没有终结；自本案发生后，我被押未释，不能继续办理。我怕影响当事人的利益，因此于被捕后第一天便匆匆托了朋友替我进行下去。到了上海公安局的时候，就正式委托我的朋友杨、汪二律师复代理，免得案子停顿，使当事人受着损害。

一月中旬，在被捕将近二个月的时候，家里写信来，告我上海的报纸，登载着我和王造时先生二人暂停律师职务的消息。据说是江苏高等法院通令上海地方法院的。

家里人以为我究竟有罪无罪，尚未决定，遽行停止我的职务，对于这种无理的处分，表示万分的愤慨。其实，这个处分，在保护当事人的利益上着想，是很有理由的，而且我身系囹圄事实上也不能执行，同时，停止是暂时而不是永久的，将来如属无罪，即可恢复，这不过是法院例行的一种手续而已。然而奇怪的，不在被拘之后，立即处分；而过了四五十天才实行，反使人觉得法院的办事效率是如此迂缓的。

为了救国，于加上罪名以后才停止，好像很说得过去。但在没有罪名，尚未被捕之前，已经把人家的职务，用胁迫的手段，强行停止，那才是莫名其妙呢！章乃器先生在浙江实业银行任副经理之职；王造时先生任光华大学校教授。他们都因为银行及学校负责人受到了当局的暗示或明示都不得终其位而去。他们违犯了什么法律？究竟根据什么理由，他们应受这样的处分？

这理由据说是有的：就是断绝他们生活上的供给，予以经济的压迫，企图制服或改变他们的主张和行动。但是使用这种手段，而可以使人不爱国家、不要民族，那么，历史上将没有“士可死，而志不可辱”的可泣可歌的事迹存在了！

在监禁中，各人的家书里报告我们，受到和“停止职务”同样的处分是每个人都有的。而且不止一样，却双管齐下，同时并进。我们自身之外，举凡和我们有关系的事业，也受到同样的待遇。譬如我参加的蚁社，据说，居然有人以为我已被捕了，蚁社有我参加在内，因此呈请当局，加以封闭。当然其唯一的理由，我犯罪(？)了，犯罪人参加的事业，便应该加以封闭。这真是滑天下的大稽！如果这位先生的说法是对的，那末官吏有犯罪的，连官署都要加以封闭了。宁非笑话之至？

尤可怪的，李先生所办的量才图书馆和补习学校，这一次也起了很大的波澜。李先生苦心经营，费了五年心血，馆校都非常发达，虽然是私立的文化机关，但是却有董事会主持一切，并非李氏个人的私产。所以李先生一被捕，他就依照章程向董事会提出辞职，董事会为避免有人借口生事，加以破坏，立刻允准他的辞职，另选校长，继续负责。可是，这样，依然不能逃过纠纷。原来，馆校董事会议决以后，忽然发生当局要来全部接收的谣言。这图书馆、这学校，并不是李先生个人的私产，系由董事会负责在当局立案有据。李公朴即使犯罪，馆校即使是他的私产，即使法律有没收私产的规定，然而判决尚未确定，法律上却寻不出可以实行没收的条文。虽然学校和图书馆后来侥幸不曾真被没收，但是毕竟增加了十位“指定”的董事，和一位副校长，十几位教员！

其余几位，也有相类的事实发生，可是写多了，徒使读者的脑中多些不良的印象，举此几件，就可以了然，在中国，法律是如何被蹂躏的！

一九　监禁中的“一·二八”纪念

我不相信我的眼睛，但我分明的记得今天是“一·二八”的五周年，不是吗？那写着黑字的白布，挂在半旗杆上伴着冷风飘动着的党国旗，那——

“然而这里却这么冷落。”

——《事时新报》炘炘《庙行之行》

“一·二八”这一个血的纪念日，一天一天近了；我们永远不会忘记日本帝国主义，给我们飞机大炮的赏赐，我们也永永不会忘记十九路、第五路军英勇的抗战，粉碎了三天亡国的理论，和不能抵抗的邪说。我们虽然幽禁在看守所里，我们对于这揭开民族解放序幕的壮烈的日子，和包含着积极意义的伟大的日子，决不轻轻放过！

三四天前，我们就筹议怎样来纪念，我们暗中想法叫史律师也贡献意见。她虽因女性的关系，关在女看守所里，离开我们很远，但是我们间的通信还有相当的可能。所以我们要她对于纪念这一天的办法发表意见，以供参考。此外，我们经过几度的商量，决定到那天要举行一个简单而庄严的仪式。最重要的要请检察官莅临看守所来讲述“九 · 一八事变”，他所亲历的情形。第二，要买一百余条印着“一·二八纪念”，或“毋忘国耻纪念”字样的面巾，分送这里看守分所全体的难友。因为检察官曾经说过，他以前在沈阳当法官，因“九·一八事件”而回到南方，他身历其境，讲来一定足资警惕。所以议决由文书草拟信稿，正式邀请。后来大家再三考虑，认为我们虽同属中国人，可以一起来纪念；但被告是被告，检察官是检察官，还存在着不可破灭的界限。如果真能把这块分界石拔除了，我们早就不坐牢狱了！所以起稿邀请的决议，经过复议取消了。至于第二件分送面巾扩大宣传的办法，也因印字的面巾，无处可买，如送无字的面巾，又无意义，又不得不忍痛“牺牲”。

但是在那天，我们又庄严，又悲痛地举行了我们的“一·二八”五年祭。

早餐之后，会客室里特别收拾了一下，做我们纪念的“会场”。把二张方桌拼成一条长台，台布也换了新洗的，显得整洁严正。长台的二旁放了六个椅子。三个人各坐一边，二头均空着。

表上的指针，指着十点钟的时候，我们从椅子上一齐站起来，大家挺直了腰背，目不转睛地站立着，态度异常地严肃。首先由李先生领导唱《义勇军进行曲》，我们复唱第二遍时，六个人的声音，变成了一个声音，越唱越高，越高越激昂，我觉得我彷佛已经在枪林弹雨之中踏着脚步“冒着敌人的炮火，前进，前进，前进！”仿佛我的躯体，在这激奋的歌声中消失了。

歌声一止，满室立刻肃静，没有一丝声息。接着便静默五分钟，为“一·二八”被难的将士民众，和历年因抗日救国而牺牲的同胞、同志们致哀。每个人头沉沉地低着，眼睛深深地合着，四周静穆得如死寂一般，只听得立在旁边一位的细微的呼吸。这样沉痛肃穆的情形，我感动得几乎流下泪来！静默完毕的时候，我张开眼睛，看见李先生把手巾在揩眼泪，我知道他感动得更深了。

我们复归原座，由沈先生用着沉重的语调说了他的感想。他说得非常简单，仅仅是二句话：他说“非把日本帝国主义打倒，对于救国运动决不退缩”，这是多么有力，令人振奋的话，我们大家又深深地感动着，我们的仪式便告终结。我紧张过分的情绪，过了半天才渐渐恢复。

史律师的意见，来不及转到我们那里，过后她告诉我们，她和她同牢的一位爱国的同志胡家志君，也举行了一个庄严的纪念。据说，这位胡小姐的入狱，更属奇妙。她在上海念书，因为写信给她的男友，说了一些“中国人应该救中国，尤其受国家育养的人，吃的着的都是老百姓的膏血，应该为了解除老百姓的苦痛，去打走侵略的帝国主义者”的话，她就变成“危害民国”了，她就被捕了。因为她的未婚夫，在一个军事性质的学校念书，她的信，被检查出来，所以由司令部捕去，后来解到江苏高等法院住了二三个月；史律师投案，便和她同在一个“号子”里住着。这一天她们也和我们一般，唱《义勇军进行曲》，同时在她们看守所的“弄堂”里，走了几圈，作为游行示威。

二〇　请愿慰问代表团

人民有请愿之权。

——《中华民国训政时期约法》第二十条

我们被非法拘捕的消息一传布以后，国内外各地的朋友，不论识与不识，都担心我们的安全，函电慰问，奔走营救，在外面起了很大的震动。有的更由远道专程前来探望，有的馈赠食物，援助经济，热情厚意，逾乎常情，使我们精神上获得了无上的安慰。但是这样逾格的待遇，我们实觉“受之有愧”！尤其使我们梦寐不安的，是许多朋友们，为营救我们而受到牵累，挨了重大的苦楚，如北平同学们到京请愿，即被押解返籍；又某君代表其本地的朋友乘轮到上海来，替我们设法，尚未上岸，即被押赴某处，险遭枪决。我们闻到消息，真是心如刀剜。我们何罪？罪及无辜？法律即使已经回复到“诛九族”的地步，也“诛”不到九族以外的朋友。而现在究竟尚未到此地步，那末根据什么法律呢？

尤其我们的会员同志们，比我们在里面的，更焦急、更担心，天天望着我们恢复自由。一月二十日的下午，正是上空密布着阴霾，气压很低，雨意浓厚的一天。四点过了一些的时候，我们大家都在会客室里各做自己的工作，所官手拿着一张纸条儿，急匆匆地推进会客室的门进来，口里嚷着上海有人来慰问我们。

自从禁止接见以后，凡是来探望我们的人，不论谁，都不许进来一见；不过可以简单的用笔写一些作为谈话，算是网开一面。所官手里拿的纸条儿，便是来的人写的。我们一看，却是我们上海各界救国联合会的请愿慰问代表团，他们一起有二十一人。每个人都签了名，虽不全是我们所认识的，但名字中间隐约可以看出有职业、学生、妇女、各救国会的代表。他们为了要求从早释放我们，备了呈文，从上海来向高等法院请愿。纸条上告诉我们已经到过法院，因首席检察官外出，未获得见，仅留下呈文便带了许多水果和食物到这里来慰问我们。他们要求这里所官许予接见，交涉好久，没有效果，只得写条要我们把生活情形告诉他们，使他们回上海的时候，可以转告全体同志。我们读了这热情泛溢的字条，想起他们许多人不辞长途跋涉，冒着危险来替我们请愿，并安慰我们。大家都觉得非常感动，我的心也不自觉地跳动起来。我们急忙地写了回条，表示我们的感谢，并告诉他们在这里的生活尚属安好。但是他们看见“尚属”二字，认为我们定有不安好的地方。他们向所官提出抗议，一定要到里面来看一看情形，才使他们安心。他们关心殷切，使人多么感动！但是他们格于“法律”，终于未能和我们一见；他们不得不挟着无限的怅恨回到上海去。这时候，雨已下得很大，滂沱淋漓，真苦了他们。同时也好像告诉我们救国事业正在阴霾的风雨中，有如今天的天气。我们同志不辞艰苦在奋斗，也象征着风雨不足畏，风停雨止之后，便是我们光明灿烂的世界了。

他们去后，大家想着他们秉了一腔热诚，堂而皇之的用了各界救国联合会代表团的名义，向法院递送呈文，请愿释放；还留下各人的姓名，住址，真不免为着他们的安全着急。各界救国联合会虽然公开，他们的态度，虽然光明，然而我们的被捕，我们的“危害民国”就是为了救国会的缘故。法院侦讯我们的时候，屡次用了引逗诱骗的言词要我们说出其他的人来，以兴大狱。现在既有二十一位自己送入“虎口”，他们遭受不幸，当然非常可能。他们在担心我们生活的不安好；而我们却焦虑他们的安全发生问题！

这种不安的心理，笼罩了我们整个的谈论。忽然不知谁打开了送来的食物，发现了逃过了检查的他们的赠言。他们在食物盒子盖的底面，和包扎的“招牌纸”的反面，都写上简单热情的辞句：如“希望你们早日恢复自由”等等。尤其使我们快慰的，是告诉我们“救国会的组织愈加健全，工作依然不懈”的话。的确的，救国不是我们几个人的专利，而是全国不愿做亡国奴的大众的事业。捕了我们几个人，决不影响整个救国运动。反之，因为捕了我们，恰恰使救国运动越发蓬勃起来，救国的阵线越发巩固起来。我们被幽禁了，却幽禁不了全国几千百万不愿做亡国奴的人们。

二一　扣押证人

证人经合法传唤，无正当理由而不到场者，得科以五十元以下之罚锾，并得拘提之。

——《刑事诉讼法》第一百六十五条

不幸而言中，第二天早晨，检察官果然又驾临看守所了。问话的中心，都是请愿代表团的问题。他并且拿了代表团的名单，一定要我们指出认识的人来，我因为顾留馨先生在那天单独地写了名片向我慰问，所以说了他。这就是我在侦讯了五次的一节里所说“要紧”“不要紧”一段的情形。其余几位也说了任崇高先生等。虽然知道说了，对于他们的安全，更发生问题，但我们以为救国会代表请愿，光明坦白，无所用其隐蔽；况且国民有“请愿”的权利，是“约法”所规定的。他们行使国民的权利，也无所畏惧，所以一起说了四五人。

然而，我们太乐观了。对于法院的估计，还是太书呆子气了！在二月四日，我们所说出的几位中的任顾二先生果然被江苏高等法院扣起来了。

大概是一月二十九日，他们二位先生在上海被江苏高等法院第二分院传问，后来又接到江苏高等法院的传票，传他们到苏州来**作本案的证人**。他们来了之后，法院便把他们扣住押起来。据说要他们二个人交保，因无保而羁押，我写此的时候，犹在看守所中，不知实际的情形如何。如果上面这种传说是的确的话，那末中国的司法，简直太暗无天日了。证人而可以羁押，真是法律上破天荒的奇闻，令人骇怪，无有过于此了！我不能相信中国是一个有“法律”的国家了！

世界各国，任何有法律的国家，——除非是野蛮无文化的国度，从无可以把“证人”——证人犯罪当然例外——羁押起来的规定。中国的《刑事诉讼法》也是如此。至于对于证人的制裁，却并不是没有的。譬如证人经合法的传唤，而没有正当理由不到的，法院便可以加以制裁，而制裁的方法，也没有可以羁押起来的。《刑事诉讼法》规定的制裁，仅不过二种：第一种是科以五十元以下的罚金；第二种是可以拘提被告到场。——这是拘提不到场的使其到场，而不是将到场的羁押起来——除此之外，全部《刑事诉讼法》中找不出第三种的规定，而且这种制裁，**仅仅限于无正当理由而不到的，其有正当理由而不到场的，便不能适用，何况应传到场——从上海到苏州来应讯显然没有引用制裁办法的余地，岂有进一步把人羁押起来的道理！**现在任顾二先生的被押，违法悖理，真是旷世奇闻！

现在再就因无保而羁押一点来研究，究竟对于证人有无交保的规定？所谓交保，一定法律上可以羁押的，才用得着具保反之。法律上无羁押的可能的，根本就无具保的必要。按法律，证人只负到场的义务，是没有羁押的理由和规定的。那末法院传任顾二先生是叫他们做证人，法律上根本没有羁押的可能，又何用交保？如果说，因为无保而羁押起来，刚刚说明了违背法律！

再退一万步言，对于任顾二先生，因为他们是救国会会员，当作他们是被告，有犯罪的嫌疑，与本案有牵连的关系，所以把他们羁押起来，依法律原也未始不可。

但是如谓他们有嫌疑，有牵连关系，那末在他们二十一位来到法院的时候，他们用的是上海各界救国会请愿代表团的名义，法院早已明白他们都是救国会会员，早应该把二十一位，一一都押起来，或者叫他们交保，或者只把任顾两先生押住。然而法院并不如此做，反之，据说还派了检察官接谈，当面把本案有牵连关系的嫌疑人或"共同正犯"纵之而去；不仅如此，去传任顾二先生的时候，也仅仅叫他们作证人，不作他们为被告。如认他们有嫌疑，作为他们被告看，尽可发出拘票去拘提他们，或用传被告的传票去传他们好了，又何必用证人的传票去传，传来了忽又当他们为被告，把他们押起来，其牵强矛盾，也太异乎寻常了！

照他们的羁押情形看来，他们是被法院当作被告看的。因为他们被禁止接见，而且又隔离羁押，这是对待证人的办法吗？然而当他们被告看，却又不与我们对质，又不关在一起，同一的案件，而异样的待遇，这种种矛盾混乱的程度，竟一至于此，而且出诸于一省的高等法院，真是我万万想不到的！中国司法界的情形如此，我不得不要大声疾呼，请求爱护司法的全国人士，予以特别的注意！

二二　提起公诉

实施刑事诉讼程序之公务员，就该管案件，应于被告有利及不利之情形，一律注意！

——《刑事诉讼法》第二条

倘发见有利于被告之情形，并应为有利于被告之论告，不得固执己见，亦不得为长官命令所拘束。

——《办理刑事诉讼案件应行注意事项》第五十九项

送达……非经……许可，不得于星期日，或其他休息日，或出日前，日没后为之。前项许可，法院书记官应于送达之文书内记明。

——《民事诉讼法》第一百四十条

时间飞一般的过去，我们被捕后，已经四个月多了。在这四个月中，我们关在看守所里，所看见的是高高的厚墙，所接触的是堂堂的“看守”。不知外面的世界，已经起了难以想象的变化；中国的命运，已经有了极大的转机。“西安事变”的圆满解决，三中全会的成就，使中国民族，获得了新的生机。全国的抗日形势，继长增高，国内的磨擦，已告停止，团结御侮，也露了端倪；联合友邦以求集体的安全保障，也成了今后对外政策的准则。反观我们往昔所主张呼吁，为被捕之原因者，也不过如此，无多差别。在此期内，救国会又曾一再公开的剖切说明，愿在政府领导下，努力抗日救国工作。照这种情形观察，不论在法律上，政治上，我们的恢复自由，我们的被“处分”“不起诉”，要为毫无问题。我们固然是这末想，全国人士也莫不如此想法。但是不幸得很，于四月四日羁押四个月，侦查期满的最后一天的晚上八点钟，检察官送达“起诉书”，正式提起公诉。

自从三中全会以后，各方面——南京的、上海的、苏州的，——不断带给我们的消息，都说我们要出去了。我们几次购买箱箧，整理行装，预备“动身”。家属们也三番四次的赶来等候我们出狱。可是种种的阻碍，结果还是押在看守所中。在侦查将要期满之前，司法方面和政治方面，更传说着本案决不提起公诉；惟恢复“自由”之后，由我们自动的或被动的前往首都，长期的或暂时的住在那边，和当局开诚谈话，使政府和人民，当局和救国会间的隔阂消除。大家“言之凿凿”，因之我们也不“听之藐藐”。到了三月底，离开法定羁押期，仅剩三四天的时候，自己、家属、亲戚、朋友，没有一个不以为要自由了——至少是离开看守所——所以都集中到苏州来。有的跟我们开好出狱后暂以安顿的旅舍，并且排定了行程，怎样洗澡，怎样访谢亲友，怎样赴京，一一都安置妥当；有的备了爆竹预备出门时燃放；种种情形，只须“不起诉处分书”一送达，便可依照而行。可是，等、等、等，一天过去了，又等一天，看看只有二天了，法院方面，依然没有动静。直到最后的一天，上午十时，十二时又过去了，下午一时三时，五时六时，又都在企望疑虑中，一时一时的消逝。法院的办公时间早已完了。究竟把我们怎样处置呢？还是谜一样的神秘。虽然在四点钟左右，我们得到非正式的传闻，说是检察官的“不起诉处分书”，是没有“不”字的，真出乎大家意料之外；然而，未曾证实之前，我们还冷静地等候最后的揭晓。七点半钟，我们夜饭也吃过了，法院送达文件已在外面的消息，传了进来。但是不到三分钟接续而来的是法院又打来电话，命令送达人将原件带回去，说是弄错了需要改正。这时候，我们猜想着会不会在这最后的一刹那，整个的变更了。大家在会客室中推量估计，各人急于要明白究竟的情境，有如大旱之望云霓，又像持有航空奖券者，在“开彩”之日，等待“头彩”号码的“摇出”一样急迫！隔了半小时，“头彩”“开出”了，大本蓝油墨、钢笔板印刷的薄本子，送入每人的手里，依然是没有“不”字的“起诉书”。一切希望和估量全成了幻梦。

我们在“送达证”上签了字，交还法警打发去了。细细“捧”读代表国家，行使神圣职务的检察官的“起诉书”，第一个印象，是“起诉书”完全不了解政治上的新形势，和太诬蔑救国会的主张；不但咬文嚼字，断章取义，曲尽罗织的能事；而且张冠李戴，指鹿为马，惟恐我们的言行不成犯罪。《刑事诉讼法》实质的真实发见主义，完全为其抹煞，被告有利的情形，竟然无一注意。我们万不料侦查四个月之久，“起诉书”理由竟然如此空洞、歪曲，真是诬蔑了国家，诬蔑了神圣的职务！

我们这种印象，倒并不是我们被起诉了，情感上的愤激的反映，我们有着种种根据，我们要依据了法律上赋予我们的答辩的权利，提出“答辩状”来一一指出。不过我们痛惜的，“起诉书”关于我们的利害小，而给予全国人民的失望却大。客观的事实，告诉我们，本案已经是全国人士所注视的一件案子；而救国是否有罪，是千千万万不愿做亡国奴的中国人民所要知道的。起诉不起诉，影响民族的心理，至大且巨，我们如果天良未泯，试闭目一思，爱国有罪，还有谁敢爱国？但是话虽如此，我却深深相信民族思想和救国行为，决不是“起诉书”或牢狱所能阻遏或消灭的，我要高呼：

中华民国万岁！

中华民族解放万岁！

二三　七个人的羁押生活的感想

羁押生活

作息表		值日表	
时间	作息	星期	值日者
八时前	起身	一	沈
九时	早餐	二	邹
十时至十二时	工作	三	章
十二时	午膳	四	李
二时至五时	工作	五	沙
六时半	晚饭	六	王
七时半至十时	工作	日	合作
十一时前	就寝	二十六年	元旦立

上表为公朴所书。公朴习字最勤，每日必临《张女志》数十字，此书极工整有致，颇似一纸公文书也。我辈自沪移送来苏，为二十五

年十二月四日午后，到分所时，已傍黑。所屋一排朝南六间，前面有一天井，尚空敞。西一间为第六号室，看守等居之。五号韬奋、乃器卧室。四号千里、公朴。余与造时处第三号室。二号室则为公共阅览、作事及会客、餐饭之所。第一号室，由所内储藏杂物，与我辈无涉。初时作息各人自由，嗣觉须有一共同规定之必要，故公朴所书之纸，已为二十六年元旦日矣。表内规定早晚餐饭及就寝意义，一望即知，无待说明。惟工作到底所作何事，据我辈实际情形，可以阅书写作四字包括之。早晚餐饭后，所余时间完全归之休息，不准工作。唱歌、说笑话，往往闹得不堪。五时后至晚饭以前，为运动时间，最近大家喜玩排球。在院内东西以一绳代网界，三人分南北对打，乐此不疲。作息表所未规定者尚有二事：一、洗澡于每星期日晚行之，其入浴次序，以拈阄决定。一、室内扫除，所内为我辈专雇一人，姓名叫王树山，司杂役及清洁打扫等事，我辈认为不够，因定每星期各卧室，应须清除一次，拖地板，抹墙壁，皆由我辈躬自分任。又每室靠北窗下，设有便器，外形似方凳，中置瓦缸，破其底，通于壁外，初时臭气颇甚，后每次大便后，须由本人用水冲刷令净，遂无臭气，亦为清洁重要工作。至所谓值日者，其规定责任，一为唤起各人注意，遵守时间；例如早晨应起身时，何人未起，可以手敲击窗户令醒等类。二、每餐饭前须将各种食物支配停当。三、每日零碎事件如某物缺少，应须饬人添购等类。再在规定作息时间外，我辈还有一种经常的事务分配，乃器主管会计，造时主管文书，千里主管卫生，公朴主管事务，韬奋及余则仅于各事负补助之责。此为我辈整个实际羁押生活，特加详释，以资纪念。

二十六年三月二十二日钧儒记于
江苏高院看守分所第二号室北窗下。

去年十二月四日系星期五。昨二十一日，为自移苏羁押后之第十六个星期日。计算到今

日为止，已经过羁押一百〇九日。钧儒又记。

自从和几位朋友，同过羁押生活以来，对于同舟共济的意义，愈有深切的感觉。一人的安危，就是七人的安危；六人的危安，也就是其他任何一人的安危。同患难、共甘苦，这种同舟共济的意义，推之于民族，与全国同胞，便是团结御侮的精神。

朋友相处日久，对于彼此个性的认识，也愈益深刻。这种深刻的认识，倒不在乎什么大处，却在平日造次，一语一动之微。这也是在这时期内所得到的一种感想。

三月二十八日韬奋写在苏州。

在羁押中，使我特别心领神会有两点。其一，为集体生活之可贵，其二，为哲学信念之不可或缺。有许多人恋家庭，就因为家庭是与生俱来的一个集体，但是善于处群的人，可以到处为家。社会进步了，职业群、思想群、娱乐群，以至社交群等，形形色色的集体生活都发达了，家庭的重要性，就慢慢的减少了。牢狱之所以不似外间想象的苦闷，也就因那里面一样的有人群，一样的可以过集体生活，只要我们善于处群。所谓处群之道无他，只要把自己当作人，把别人也当作人就行了。

哲学的信念，不管是好的，或是坏的，对于自己都是有益的，都可以使人在危难中处之泰然，持之弥坚。历史上一切视死如归，从容就义，可泣可歌的事迹，都是哲学信念所造成的。但是我们必须有一个最好的，最正确的哲学，一个颠扑不灭，而可与人类共始终的哲学。不正确的哲学，固然一时也可以使你心安理得，然而一旦被事实揭穿了，那个彷徨的痛苦，是很难堪的。这也就是你意志顶顶薄弱的时候，恶魔就在这时候乘机毁灭你的灵魂。

二十六年三月二十五日章乃器。

羁押生活不自由，不自由后才知自由的好

处！自由自由，大众的企求。

羁押生活不自由，不自由也有好处；若非如此，好友怎能长欢叙。

在羁押生活中，大家利害相同；六个人是一人，彼此互相苦衷。

在羁押生活中，并无彷徨的烦恼；因为过去的一切，没有什么做错了。

自知不易，知人更难；在羁押生活，友谊增进无穷！

不要怨人不了解你，只怕你不了解人；四个月羁押生活，我于此领悟重重！

羁押生活单调，大家不妨“胡闹！”引吭乱叫，轰然大笑，所为何事，莫名其妙！

前因看了几首陶行知先生的白话诗，不觉也破天荒的诗兴勃发起来，曾乘兴写过一篇处女作，替代了信寄给他。“家长”要我写一点羁押中的生活感想，我又大胆的来做这第二次的尝试。对于诗毫无研究的我，或者会被人骂“胡闹”罢！

二十六年三月三十日，公朴记在苏州看守所。

在这里，物质方面的享受，实在比我在家里好得多，可以说是回国七年以来所没有享受过的舒适生活。精神方面，对于案事本身，因为我自信没有犯罪，俯仰无愧，所以没有什么忧虑。译著之暇，我所焦思的，乃是今后救国的切实计划问题。在过去，我对于中国的前途，虽有粗枝大叶的主张；然而在国事剧变已演进至另一阶段的今日，那些主张，是不够精密的，必得有进一步的详细办法。这些办法，不仅要顾到自己的政治理想，并且还须看清国内的情形，与国际的环境。我很感谢这次事件所给我的冷静深思的机会。

民国二十六年三月三十一日，造时写于苏州。

我起初为着反抗非法逮捕，准备做个亡命者，暗中继续着救亡工作，后来知道我们救亡集团里，并不因我们被捕，停止工作；相反的，为着我们的被捕，更引起了大多数人的同情。而且同案六人，已解送苏州高等法院，依法审理；我是中华民国人民，当然有受法律审讯的义务，于是在二十五年十二月三十日，向苏州高院投案，开始着犯人生活。

为着性别关系，我不能和其余六位，羁押在一块，只有和一般未决女犯，共同生活了。但是仍蒙看守所优待，特辟十三号一室，给我居住，派了服役来替我做事。除了我晚上睡觉后加锁替我保护外，终日房门开放，任我出入自由，不受一般犯人的封锁限制。

我入所时，所中羁押女犯五十九人，分居七个房间，有的怀着肚子，有的带了孩子。中间判决死刑者七人，无期徒刑者九人，十年二十年，一年二年者都有这样大大小小六十多个人共同生活的大集团，杀人、放火、强盗、绑匪、通奸、扒手、骗子、拐歹，各色各样的人才，统通具备。他们虽然都是违法的犯罪者，可是彻底的讲，她们都是争取生存的战士，都不是甘心等死的弱者。

当我入所的二三天，她们看着我受特别优

待，都私相窃议，探问我犯的什么案子；后来不知在什么地方打听到我是为着反对东洋人吃官司，她们都很不平的替我表同情，大家不断地骂着“东洋鬼子真害人”。有的说：“与其关我们在此地，还不如放我们出去与东洋鬼子拼个命。”我看到她们这种抗敌情绪，我简直疑心自己又到了一个新的抗敌集团去了。但是为着遵守所中的规则，我当然不能采取公开演讲的呆方法。后来她们又探到我是个律师，于是生意兴隆，她们时常都来请我做状子，有的要我看案情。我呢，为着研究犯罪学，实际调查犯罪原因起见，也乐于做她们的义务律师。尤其借此接触机会，把侵略者的野心，扼要讲解，深刻她们抗日的印象。将来当真集中全国力量抗敌时，她们恐怕还是英勇的先锋；因为她们都是多半不怕死的好汉。

我自从入所和外面隔离后，我抱定用功主义，把看书放在第一着，次之就是札记写作了。我目前研究的范围，是各国犯罪学、各国警察学、社会学、经济学，和哲学。到现在还有社会学和经济学刚刚开始，假如还有一年半载留我在此地，就可以照我的计划研究下去了。我的运动，有跑步、早操、扫地、揩窗、洗衣、烧菜。我的娱乐，是学她们唱山歌，教她们《义勇军进行曲》等。

三个月来，我和她们处得和家里人一样，无形中又给她们推做头脑了。她们遇到什么困难事情，总要请我做顾问。她们争吵哭泣，到不得解决时，就要我去判断，或解劝。但是她们很爱护我，在我用功的时间，她们很少来打扰我。最近她们听到我有出去的消息，有的代我高兴，有的躲着哭泣，有的绣花送给我，有的做菜给我吃，有的要我住址，有的索讨照片。她们都是有良心、有情感的同胞，谁说她们是犯罪者？当真放我出去，我倒觉得有些舍不得她们。

二十六年四月二日，史良于苏州女所。

四个月的羁押生活，最简单的一句话，可以说是在矛盾的统一中过去。想到卧病二月日夜焦虑的老母，有时候真是心如刀割，坐立不安！但是贤师益友，早夕相处，过着有规律的集体生活，又觉得愉快兴奋。对于身受非法的蹂躏，怀着无限的忿激，并且深痛国家法律的毁灭，但是一想到关外同胞，在敌人铁蹄下粉身碎骨，家破人亡的遭遇，与我们相比，不啻天壤之别，又不觉心平气和。况且历尝铁窗风味，得以更深的认识讼狱的真相，于个人生活上又多一番经验，也是可遇而不可求的机会，稍受一点磨难，也不是不值得的。不过一天天迁延下去，却又不愿长此不决，希望迅速的恢复自由。这种种不一的矛盾，不断在羁押生活中潜滋暗长，如果不能解决的话，说不定将入苦闷的深渊。但是，一个坚定的共同信念，却把这种种矛盾不断的统一起来。那就是大家相信：联合战线的主张，终能获得最后的胜利；而爱国无罪，必然为大众和历史一致的裁判。

所以安闲宁定，不知不觉把悠长的时日度过去了。我相信，即使关上我们三年五年一定还是如此的。

二十六年三月二十八日，沙千里，时在苏州押所。

附　录

起诉书

被告　沈钧儒男，年六十四岁，律师，住上海愚园路桃源坊五十一号。

王造时男，年三十五岁，律师，住上海地丰路七号乙。

李公朴男，年三十六岁，量才补习学校校长，住上海愚园路亨昌里二十四号。

沙千里男，年三十五岁，律师，住上海爱文义路五百二十四弄十四号。

章乃器男，年四十一岁，大学教授，住上海台拉斯脱路慈惠村二十四号。

邹韬奋男，年四十二岁，《生活星期刊》主笔，住上海辣斐德路六百零一弄四号。

史良女，年三十三岁，律师，住上海辣斐德路辣斐坊一号。

陶行知男，余未详。

罗青男，年三十六岁，现无职业，住首都玄武湖寰洲三十五号。

顾留馨男，年二十九岁，经商，住上海公共租界爱文义路一五二八号。

任颂高（即任崇高）男，年五十七岁，小学教员，住上海杨树浦临清学校。

张仲勉男，余未详。

陈道弘同上。

陈卓同上。

上开被告，因民国二十五年度侦字第一四号危害民国一案，业经侦查终结，认为应提起公诉。兹将犯罪事实及证据，并所犯法条，叙述于后：

犯罪事实及证据

缘沈钧儒王造时李公朴沙千里章乃器邹韬奋史良暨在逃之陶行知等八人，因不满意于现政府，在上海以联合各党各派抗敌御侮为名，倡人民救国阵线口号，先组织文化界、职业界、妇女界、各救国会，嗣又联合大学教授救国会，学生界救国会，工人救国会，国难教育社等团体，组织上海各界救国联合会，并发表刊物，以资号召。未几复扩大范围，组织一全国各界救国联合会，于民国二十五年五月三十一日，假上海公共租界青年协会开成立大会，发表："全国各界救国联合会成立大会宣言""抗日救国初步政治纲领"。同年七月十五日沈钧儒与章乃器陶行知邹韬奋四人，又发表一小本刊物，标题为："团结御侮的几个基本条件与最低要求"主张停止内战，释放政治犯，并与红军议和，建立一个统一之抗敌政权。维时，逃窜在西北之共产党毛泽东在报纸上见及沈钧儒等所发表之言论，遂亦具函回答，引为同调；沈钧儒等得此响应，自分所愿获偿，乃益图扩展，复遣罗青担任组织江苏各界救国联合会。从此动作日趋急进，并刊行《救亡情报》，对于中央施政方针多所抨击，用以削弱民众对于政府之信仰。适上海日商各纱厂发生工潮，沈钧儒等认为有机可乘，复借此组织罢工后援会，募集款项，接济各工人，意在使其与救国会取一致行动。当经前上海市公安局派员会同上海公共租界暨法租界捕房，将沈钧儒王造时李公朴沙千里章乃器邹韬奋史良等七人拘获，除史良于取保后逃匿外，遂以沈钧儒等涉有“勾结共产党徒，组织非法团体，煽动罢工罢课，扰乱地方秩序，图谋颠覆政府”各嫌疑，连同证件移送侦查到院。嗣同案被告史良亦于侦查中，自行投案。同时罗青亦在江阴县被获，送由军事委员会军法处转送归案侦查。正办理间，复有顾留馨任颂高张仲勉陈道弘陈卓等五人以上海各界救国联合会代表名义，具呈请求恢复沈钧儒等自由，当以该顾留馨等均系上海职业界救国会会员，任颂高并兼任该会理事，不无共犯之嫌，因予一并侦查。兹经侦查明晰，认本案各被告共犯以危害民国为目的而组织团体，并宣传与三民主义不相容之主义属实。

上述犯罪事实，依下列各证据认定之：

一、全国各界救国联合会大会宣言，内有：“列强攻苏之误，中国之剿共亦误。”“少数别具肺肝的人们，依然认为苏联和共产党是中国民族的主要敌人。”证以《救亡情报》中，类此主张者，亦不一而足。查共产党祸国情形，为人所共见，其宗旨与三民主义显不相容，被告等竟组织团体主张不应讨伐，并公然指摘政府历来剿共为错误，其有意阻挠中央根绝赤祸之国策极为明显。

二、前项宣言，除主张立时释放政治犯外，并称“各党各派立刻派遣正式代表，人民救国阵线，愿为介绍进行谈判，以便制定共同抗敌纲领，建立一个统一的抗敌政权”等语，证以《抗日救国初步政治纲领》亦有“迅速的建立起来一个统一的救国政权”字样，核与章乃器交与罗青《共产党致国民党书》所载“我们赞助建立全中国统一的民主共和国”、“拥护全国统一的国防政府”各节，如出一辙。查被告等同在国民政府统治之下，沈钧儒与罗青并自称“亦系国民党党员”。明知国民党为中华民国建国之惟一机构，国民政府为中华民国之惟一政府，乃竟侪之于各党各派之列，妄倡人民救国阵线，自称“愿为介绍谈判”；曰“立时释放政治犯”，曰“立刻派遣正式代表”，曰“迅速建立一个统一的救国政权”，措词荒谬，肆无忌惮，其不承认现政府为有统治权，并欲于现政府外更行组织一政府，已可概见。

三、沈钧儒章乃器陶行知邹韬奋等四人所发表之团结御侮的几个基本条件与最低要求刊物，内有“和红军停战议和共同抗日”，“这样所谓各党各派，主要的自然是指中国共产党”，“现在共产党已经提出了联合抗日的主张，国民党却没有表示，这结果会使一般民众相信倒是共产党能够顾全大局，破除成见”。陶行知于《生活杂志》所著论文，亦明认“红军为中国三大集团之一”，其有意为共产党张目，并削弱民众对于政府及国民党之信仰，可见一斑。况经讯以：“共产党是无国籍的，是抱世界主义的，怎能救国？”据沈钧儒答：“我们没有研究到这个问题。”（二十五年十二月二十三日讯问笔录），又讯以：“中央军队于一·二八及长城之役，参加抗战时，红军均在后防乘危反攻，何能更与合作，并究以何法保证其不生后患？”被告等对此亦均不能为充分之解答，仅谓：“合作之后，如敢倒戈，不难用政府及民众力量制裁之。”更就李公朴所述：“我就书报上看来，他（指共产党，下句同）是主张抗日的；但他是否真有抗日决心，还是一个问题。”（同上日期，讯问笔录）参互以观，是共产党是否具有抗敌御侮决心，尚不可知；乃被告等既侪国民党及现政府于各党各派之列，同时复主张“所谓各党各派，主要的自然是指中国共产党”，其蔑视现政府，故为有利于共产党之宣传，已无容疑。

四、沈钧儒王造时李公朴沙千里章乃器邹韬奋史良顾留馨任颂高等，虽佥称：“伊等所主张之人民救国阵线（亦称民族阵线，联合阵线，民族联合阵线，救国阵线，救亡阵线，统一阵线）与共产党所倡之人民阵线口号不同；并据邹韬奋提出其自著之《生活日报》，以为证明；然据共同被告罗青供述：“现在名词还未统一，人民阵线，人民救国阵线，救国阵线，统一阵线，民族阵线，联合阵线，都是一样的。”（二十六年一月十九日，讯问笔录。）即查阅邹韬奋所提出之《生活日报》，内有：“为明了起见，不可再用人民阵线这个名词，应该用民族联合阵线。”云云，不但不能证明人民救国阵线与人民阵线系属两事，反可证实人民阵线口号，亦久已为被告等所沿用。此外尚有在章乃器家搜获之《中国学生救国联合会情报》第一号，其中载有“发表宣言并募集款项，援助西班牙人民阵线政府”，“欢迎美国人民阵线代表来沪”等语，足见人民救国阵线与人民阵线，实系同一之名词，已无疑义。更证以周守彝程嗣文甘爽等所组织之火花读书会，其宗旨为反资本主义，确系共产党团体，并曾加入职业界救国会，编为一四三三组，以周守彝为组长，亦经江苏高等法院第二分院认定周守彝等系以危害民国为目的而组织团体，判处罪刑，有案可稽。而职业界救国会系加入上海各界救国联合会。上海各界救国联合会又系加入全国各界救国联合会，复为被告等一致承认之事实，是该救国会成立时，即容纳有共产党分子在内，自极明了。再查人民阵线系共产党标语，含有阶级作用，党派背景，及对内革命之性质各点，已为被告等所不否认，而西班牙内战，系由共产党所主持之人民阵线而起，又为显著之事。被告等偏以此种标语为号召之用；且其主张联合各党各派尚未实现，即先欲援助西班牙之人民阵线政府；一面指摘我国之剿共为内战，一面复援助他国人民阵线之内战；谓无国际背景，政治野心，其谁能信？

五、共产党毛泽东答复沈钧儒等信函（系印刷品）内有“南京政府五月五日颁布的宪法与《国民大会组织法选举法》，我们认为是反民主的，根据这些法律组织的国民大会，我们不能承认他有代表全国人民和民意的权利”；“我们认为这种国民大会的存在是有害的”；“我们希望你们及全国一切救国团体，派代表参加苏维埃政府”；其抨击宪法一点，尤与被告等所称“含有制礼作乐的宪法是多余的”等语，若合符节。矧查毛泽东信内所述，不但无自动取消苏维埃政府之表示，且希望各团体能派代表前往参加该伪政府，被告等以其系对于救国会所表示之响应，竟将是项反动刊物由章乃器授与罗青，命其担任组织江苏各界救国联合会（见罗青历次供述），乃犹饰称“并无危害民国之犯意”，又谁能信。

六、被告等除坚不承认有鼓动学生罢课情事外，对于组织工人罢工后援会，则并不否认；并称“工人救国会亦加入上海各界救国联合会之内”等语，其用救国会名义，散发为上海三百五十万市民请命传单，亦有“这二十余万的工人，都可训练为冲锋陷阵的英雄”之语，对于知识简单之工人，竟不惜多方煽惑，以遂其不法之企图。乃被告等犹以“意在救国，并无其他作用”斤斤置辩，显属虚饰之词。

七、在邹韬奋家搜获共产党刊行之《斗争报》，其中虽曾批评“章乃器是叛卖阶级的史太林派”并称“反对章乃器们的救国阵线没有政治野心，没有夺取政权的企图，引入爱国一途，减少斗争的力量”，纵令果如所言，亦不过谓伊等之主张，与极端左倾之杜洛斯基派有别，仍与三民主义不能相容。殊难以此为被告等有利之证据。

八、被告等虽称“伊等与第三国际并无关系”，然查人民阵线即系第三国际第七次代表大会所通过之口号，其关于中国成立人民阵线议决案，内有：“在中国必须把扩大苏维埃运动与巩固红军的战斗力，与在全中国开展人民反帝运动连结起来。”“苏维埃应当成为全中国人民解放斗争的中心。”又中国共产党对于建立中国人民阵线，内有“在救国名义下，并发动反现政府的斗争”“反对现政府及国民党”（见附卷二十六年二月四日《中央日报》）。被告等所倡之口号，既系本于第三国际大会所通过之议决案而来，其于各种刊物内复屡言：“讨赤不易成功。”“不相信国民党可以包办救国。”并于《团结御侮的几个基本条件与最低要求》第五项载有“我们赞成中国共产党和中国红军这一个政策”之语，尤显与前述第三国际议决案相一致，自无解于危害民国之罪责。

九、上年十二月十二日“西安事变”，据张学良所提出之八项主张，内有“容纳各党各派负责救国，及立即释放上海被捕之爱国领袖，立即召开救国会议”等项，被告等对此虽坚称：“毫未与闻其事。”并谓“上年五月三十一日全国各界救国联合会成立之时，尚未闻西安有救国会”等语，此查上年五月六日《救亡情报》创刊号，即有“西安学生悲壮的救国运动”、“西安各学校均有救国会的组织”之记载，该情报第二十五期，对于成立西北各界救国联合会情形，记载尤为详悉，并称“全救会宣言和纲领我们翻印了二千多份，已普遍散发”等语，足见被告等所称“西安并无救国会”一节，显系有意诿卸。又同年十一月二十二日，第二十七期《救亡情报》载有全国各界救国联合会致西安张学良电报，“前略，望公本立即抗日之主张，火速坚决要求中央立即停止南京外交谈判，发动全国抗日战争，并电约各军事领袖，一面对中央为致之督促，一面对绥远实行出兵援助，事急国危，幸即图之”。此电拍发后，为时仅浃旬，即有“西安事变”发生，而张学良之通电，又明明以释放该被告等为要挟。且核其彼此所揭橥之主张，亦复完全相同，其双方互相联络之情形，已堪认定。虽被告原电仅系怂恿张学良联合各将领督促政府对外出兵，尚不能证明西安暴动，系出于被告等所策划，而其勾结军人，谋为轨外行动，驯至酿成巨变，国本几乎动摇，名为救国，实则害国，要属无可讳言。况查抗敌救国，政府自有整个计划，纵令被告等果具爱国热忱，亦当于政府领导之下，竭诚献替，一致进行，以期有济。乃竟假联合各党各派为名，私立救国联合会，其所倡另建抗敌政权一节，尤与张学良通电所为改组政府之主张，适相吻合。此外又复散发种种刊物，鼓吹人民救国阵线等谬说，淆乱听闻，使人民与政府间起分化之作用。是其以危害民国为目的而组织团体，并宣传与三民主义不相容之主义，更属罪证确凿，灼然无疑。

十、罗青承认担任组织江苏各界救国联合会属实，并称："与章乃器接洽时，沈钧儒邹韬奋亦一同在座。"此外复在其身畔搜获有：（一）《全国各界救国联合会大会宣言》。（二）《抗日救国初步政治纲领》。（三）《团结御侮的几个基本条件与最低要求》。（四）《共产党致国民党书》。（五）毛泽东油印回信。（六）江苏各界救国联合会筹备会木戳等件。足证其参加以危害民国为目的之团体为不虚，依法应认为共同正犯。顾留馨任颂高自认系上海职业界救国会会员，任颂高并兼任该会理事，一面复与张仲勉陈道弘陈卓等共五人，分持上海各界救国联合会传单，以该救国会代表名义，具呈请求恢复沈钧儒等自由，经将该传单暨顾留馨所持救国会刊发之《国难新闻》，分别扣押在案，均足以证明参与犯罪，委系出于共同之意思，自亦应以共同正犯论。

所犯法条

综上所述，本件被告沈钧儒王造时李公朴沙千里章乃器邹韬奋史良陶行知罗青顾留馨任颂高张仲勉陈道弘陈卓共同以危害民国为目的而组织团体，并宣传与三民主义不相容之主义，依《刑法》第十一条第二十八条，系共犯《危害民国紧急治罪法》第六条之罪。除陶行知张仲勉陈道弘陈卓等所在不明，已予通缉外，合依《刑事诉讼法》第二百三十条第二百四十三条提起公诉，并将人卷，及证件，送请查收，依法审判。

此致

本院刑事庭

计送　卷十二宗，证据物件（详目录）。

被告　沈钧儒　王造时　李公朴　沙千里　章乃器　邹韬奋　史良　罗青（以上八名在押）

顾留馨　任颂高（以上二名在保）

中华民国二十六年四月三日

江苏高等法院检察官翁赞年

答辩状

被　告　沈钧儒　年六十四岁　浙江嘉兴籍　在押

辩护人　张耀曾　律师　秦联奎　律师　李肇甫　律师

被　告　王造时　年三十五岁　江西安福籍　在押

辩护人　江庸　律师　李国珍　律师　刘世芳　律师

被　告　李公朴　年三十六岁　江苏武进籍　在押

辩护人　汪有龄　律师　鄂森　律师　陈志皋　律师

被　告　沙千里　年三十五岁　江苏上海籍　在押

辩护人　江一平　律师　徐佐良　律师　汪葆楫　律师

被　告　章乃器　年四十一岁　浙江青田籍　在押

辩护人　陆鸿仪　律师　吴曾善　律师　张志让　律师

被　告　邹韬奋　年四十二岁　江苏上海籍　在押

辩护人　刘崇佑　律师　陈霆锐　律师　孙祖基　律师

被　告　史　良　年三十三岁　江苏武进籍　在押

辩护人　俞钟骆　律师　俞承修　律师　刘祖望　律师

为被告危害民国一案，具状答辩，并声请停止羁押事

事实

缘东邻入寇，得寸进尺，侵扰三边，囊括四省。迨民国二十四年十二月，长城以北察哈尔又丧失过半，榆关以内冀东伪组织亦宣告成立，驻兵日增，特务林立，走私猖獗，浪人横行，封豕长蛇，气吞宇内。而河北奸民方假请愿自治之名，以行为虎作伥之实，形势岌岌，不可终日。于是平津教授呼号于前，学生市民奔走于后，风声所至，举国奋兴，沪上人士乃有救国会之组织。查二十五年一月一日《申报周刊》记载此事之言曰："此一消息传出以后，全国人民愤慨异常。上海文化界马相伯等三百余人鉴于中华民族的危机日迫，整个华北又将成为第二个伪满，特发起救国运动，并发表宣言，提出主张七点；（一）坚持领土和主权的完整，否认一切有损领土主权的条约和协定；（二）坚决反对中国领土内以任何

名义，成立由外力策动的特殊行政组织；（三）坚决否认以地方事件解决东北问题和华北问题；（四）要求即日出兵讨伐冀东……（五）从略（原文从略，谅系恐启对外纠纷之故）；（六）严惩一切卖国贼并抄没其财产；（七）要求人民结社集会言论出版的自由。……救亡运动遍于全国，情绪激昂，为近年来所罕见。”等语。此当时之实录也。被告等目击河山破碎，痛念国亡无日，奋起赴难，未敢后人。当时救国会及被告等均认为救亡惟一要道端在全民族团结一致，御侮抗敌。故言论行动莫不以此为依归。至和平统一，集中力量各点，则均不过为求达此项目的之方法。凡此各情，均有后列答辩理由内所引救国会及被告等个人之文件，足以证明尔后全国抗敌之情绪日趋高涨，实足为政府外交强有力之后盾。奸民之谋既败，华北之局势暂安。对日外交强化，敌人之气焰稍杀。被告等方自惭个人能力之薄弱，报国之心未尽万一，不图于去年十一月二十二日午夜，忽同时在上海公共租界及法租界分别被捕；卒由上海市公安局函送。

钧院检察处侦查，中经延长羁押期间两月，期满之日，竟以共犯《危害民国紧急治罪法》第六条之罪提起公诉。

答辩理由

按《危害民国紧急治罪法》第六条所定之罪，为“以危害民国为目的，而组织团体或集会，或宣传与三民主义不相容之主义”。“起诉书”认为被告等有共同以危害民国为目的而组织团体，并宣备与三民主义不相容之主义之嫌疑。然以被告等爱国之行为，而诬为害国，以救亡之呼吁，而指为宣传违反三民主义之主义，实属颠倒是非，混淆黑白，摧残法律之尊严，妄断历史之功罪。救国会与被告等耿耿之诚，具见各项文件。试观“全国各界救国联合会成立大会宣言”第一面载：

“我们唯一救亡图存的要道在立刻全国一致，以全力抗敌。”第二面载：

“在这敌寇日深，而内部纠纷依然严重的时候，天良未泯的人民，都渴望着有一个广大的团结，能有一个全国统一的联合救国阵线。为了这种要求，全国各地各界的救国团体代表们在上海开成了全国各界救国联合会成立大会，建立起来一个统一的人民救国阵线。”

第六面所载口号为：

“中华民族团结万岁，反日战争胜利万岁，中华民族解放万岁。”《抗日救国初步政治纲领》第八面（页数系连前载宣言计算）载：

“救国阵线的共同敌人是日本帝国主义和汉奸。”“全国各界救国联合会成立大会工作检讨”第十五面载：

“联合战线的意义是，在横的方面，团结各党各派，在纵的方面，团结社会上的各阶层，去对付共同的敌人。这样的广大的团结是需要极端的诚意和极端的宽大容忍的态度的。”

第二十面载：

“联合战线的意义可以用‘同舟共济’四个字来解释。一只船遇了险，船里面的人自然会忘记了平时一切党派的歧异，和意见的冲突，而共同协力，使这只船出险。那时候如果真有少数不顾大局的人依然为了自己的行李而不顾大众的生命，那才是大众的公敌——汉奸。此外是不应该有另外的纠纷的。一切党派歧异，和意见冲突，都只好在出险以后，再来算账。然而一度共过患难之后，也许就不必再算账了。”

钧儒乃器韬奋及陶行知等四人用个人名义所发表之《团结御侮的几个基本条件与最低要求》第十二面载：

“随后我们更希望蒋先生亲率国民政府统辖下的二百余万常备军，动员全国一切人力财力智力物力，发动神圣民族解放战争。这民族解放战争达到完全胜利之后，蒋先生不仅是中华民国的最高领袖，而且将成为中国历史上最伟大的民族英雄。这是我们十二万分诚意盼望的。”

各等语。究竟救国会之目的系救国抑系害国，其主张为违反三民主义，抑正为三民主义之所规示，实可不待烦言而解。“起诉书”虽胪列犯罪证据至十款之多，然无非将救国会之各项文件，断章取义，穿凿附会；曲解对外敌忾之旨，为对内攘夺之意；并未就本案之事实与证据，为整个之观察，终致支离破碎，真相不明；而于国际情势与国策内容之如何，尤多未晓。兹为抉剔谬误起见，仅就所列十款，逐一答辩如次！

（一）“起诉书”于第一款内主张被告等有意阻挠中央根绝赤祸之国策，系引全国各界救国联合会大会宣言内所载两项辞句，以为论据。然查

（甲）其所称：“全国各界救国联合会大会宣言内有：

'列强攻苏之误，中国之剿共亦误'" 等语，明于所引词句之上加有引句符号以示直引之意。而遍查该宣言中，并无此语。实足使人惊诧。迨检阅上海市公安局致

钧院检察处函，始见其中先已载有此语，"起诉书"实即承其错误。万不料"起诉书"以侦查四个月之时间，竟于救国会文件之原文，尚未加以细阅。一端如此，其他可知。再查该"宣言"中所载类似而不同之点为：

"在四年八个月中间，西方列强在赞助日本帝国主义进攻苏联的错误政策之下，已经使他们在远东的利益受到致命的威胁。我们的亲日派官僚在容忍日本帝国主义在东北建立进攻苏联的根据地，在梦想和日本建立国际反共同盟的错误政策之下，已经几乎要断送整个国家命脉。"(见"宣言"第二面)

是所谓攻苏之错误，明指西方列强因迷信日本进攻苏联之烟幕，致坐失远东之利益。所谓反共之错误，明指因梦想真能与日同盟反共，其结果恐致共未及反，而国已亡于日人之手。再观该"宣言"首段所载：

"在这四年八个月中间，日本帝国主义一面以建立军事根据地，进攻苏联的烟幕，蒙蔽欧美列强；一面以联

合反共的圈套，诱诈我们的当局；乘机并吞了我们六省一百六十八万方公里的土地，奴役六千万的同胞。”（见第一面）

该“宣言”末面所载：

“不要再听信日本帝国主义的花言巧语，企图以中国为牺牲，在远东发动反苏联战争。”前后参阅，其意益明。

（乙）至《起诉书》于同一款内，又引该“宣言”第二面所载“少数别具肺肝的人们，依然认为苏联和共产党，是中国民族的主要敌人”等语，以为第二论据；则查该项辞句之意旨，仍与上述各语相同，即中华民族之主要敌人为志在亡我之日本。“起诉书”苟不否认日本为我国之主要敌人，即不能对上述辞句，有何指摘。

综《起诉书》第一款所引文件内载各语而观，可知所论国际联日攻苏反共之智与不智，纯从抗日一点出发，并未及于攻苏反共之本身。盖救国会为对日而起，对日以外之苏共问题，原与该会之本旨无涉。《起诉书》既于句中关于对日之词及所称迷梦之意义，均未注意，则其所放自属无的之矢。矧查中日共同防共协定曾经日方于去年秋冬间中日谈判之中，一再提出，政府始终坚决拒绝，实可见救国会关于此点之见解与政府之措置并无丝毫不合。而三中全会宣言更明称：

“至于对内则和平统一，数年以来为全国共守之信条，盖必统一然后可以建设现代国家，以当救亡图存之大任，必和平然后人人皆知精诚团结，共赴国难，以驯至于真正之统一。……整个民族之利害终超出于一切个人一切团体利害之上。”各等语。三中全会关于根绝赤祸之决议案亦称：

“对于世界殷殷焉蕲至于大同之治，对于国内更断无町畦畛域之见，惟求集中国力，奠定统一之基。”

对共产党并称：

“本党以博爱为怀，决不断人自新之路。”

各等语尤足证中央之国策，与上开全救会宣言内载辞句之意旨，并无不同。“起诉书”据该辞句认被告等有意阻挠中央根绝赤祸之国策，则实于中央国策之为何，尚未明悉。

（二）“起诉书”于第二款内主张被告等不承认现政府为有统治权，并欲于现政府外更行组织一政府，无非以下列各点为论据：

（甲）全救会宣言建议释放政治犯。然查二中全会及三中全会中均有此项提案，三中全会且已将原则通过。蒋院长于三中全会后对中央社记者之谈话中，亦称“对于过去政治上犯有过错者，矜惜宽免，不乏其例”，云云；并明定赦免之条件，表示尤为具体。“起诉书”竟以此为断定被告等不承认现政府之统治权与欲更行组织政府之根据，不知其对于中央此项提案与决议，究竟作何解释？

（乙）“起诉书”以全救会宣言内载大会建议各党各派应立刻派遣代表进行谈判，制定共同抗敌纲领，建立一个统一的抗敌政权，及政治纲领内载我们需要很迅速的建立起来一个统一的救国政权云云，为不承认现政府之统治权，并欲另组政府之证据。其错误在将政权与政府混为一谈。殊不知政府为国家之机构，政权则为此机构所发挥之力量；故同一政府可以发挥不同之权力，其权力之变更，并不影响其组织。例如两广统一之后中央之政权扩大，而组织并无丝毫变更，即其明证。当全救会发表宣言及政治纲领之时，国内形势显有各方分立之象。全救会鉴于外侮之日迫，发为内部团结之呼吁，政府既以和平统一为怀，何能引为罪据？至所谓“统一的抗敌政权”与“统一的救国政权”内之“抗敌”与“救国”，则查抗敌救国为人民一致之要求，故当时认为政府只须表示抗敌救国之决心，政权即易臻于统一；且亦惟于政府具有统一政权之时，乃足以实行抗敌救国而制胜。试观全救会宣言，于提出“建立一个统一的抗敌政权”之后，相隔仅八行，即继续说明：

“人民救国阵线没有任何的政治野心，没有争夺政权的企图，而不过是要尽一份人民救亡的天职。我们不帮助任何党派争取领导权，不替任何党派争取正统，而只要促成一个统一的抗敌政权。”（见第五面）

再证以上文所载：

“它（指中央）在军事和政治上的领导地位，是不必顾虑的。”（见第四面）

与下文所载：

“这是一个政策之争，而不是政权之争。”（见第五面）

一面既说明中央之领导地位，一面又声明不但自身不争政权，且亦并不为其他任何党派争夺中央领导之地位，其无变更政府组织之意，岂不彰彰明甚。“起诉书”竟于同一文件之中，置上下文于不顾，断章取义，一再曲解，指被告等为“不承认现政府为有统治权，并欲于现政府外更行组织一政府”，颠倒是非，莫此为甚。而将“促成一个统一的抗敌政权”曲解为“更行组织一政府”，即就字面而言亦属万不可通。斟酌证据，而为适得其反之结论，自断不为法律之所准许。“起诉书”一意罗织，事极显然。况查全救会上述之见解与希望，即政府亦早已历有表示。以前国民党历次全国代表大会及中央执行委员全体会议之宣言无论矣。即今年二月间三中全会之宣言，亦明揭“和平统一”之国策，并称“必和平然后人人皆知精诚团结，共赴国难”。又云“自去岁七月以后，统一事业渐以形成”。是统一固为以前所未全得，为以后所宜完成。而和平固为求得统一之方法。蒋院长于二十五年七月十三日在中央纪念周演讲“统一救亡”亦云：

“换一句话说，就是为着爱惜国家的力量，保持内部的完整，要求整个的觉悟和团结，使将来大家从此以后，能和衷共济，共同一致，来完成抵御外侮，复兴国家的远大事业起见，所以不能不以总理包容一切的精神为精神，尽量地用和平方法来解决，以告慰我们总理与已死同志在天之灵。最近中央各同志大家对于解决内政问题的方法，当然人同此心，心同此理，都是始终要本信义和平，包容一切的精神，用和平方法，来处理一切纷乱。”

是救国会建议和平统一之目的与方法，与蒋院长此言，亦完全相合。盖统一政权于抗敌救亡为必要，和平为实现统一政权之手段，而各党各派进行谈判，制定共同抗敌纲领，则为和平统一之方法。救国会此项建议，与政府根本方策显无二致。至此种方法究竟应否采取，则政府自有权衡，民众团体本于爱国之热诚，为此建议，决无不法之可言。“起诉书”因未能了然于实际政治之趋势，以致失之毫厘，谬以千里。一经指出，自即了然。若再就全救会同人之行动言之，则被告等曾被推为代表向三中全会请愿，蒙派中委马超俊接见；此外向地方政府请愿陈情，次数之多，尤非屈指所能尽计。苟不承认政府之统治权，尚何必有此举动？至除大会宣言以外，全救会其他文件，亦多有可以相互阐明之处。即如大会工作检讨第十二面载：

“我们对当局应该有政策之争，然而绝对没有政权之争。我们在政策上是不妥洽的，在政权上既然根本上已经不争，便无所谓妥洽不妥洽。”

钧儒乃器韬奋及陶行知所刊《团结御侮》之小册第六面亦载：

“但是没有一个政府的领导，单靠民众自动作战，也决不会有胜利的前途。中央政府要是没有各地方当局的合作，固然谈不到抗日；但是地方当局在和中央政府对立的状态之下，即使出兵抗日，也未必有胜利的把握。”

第十二面载有希望蒋委员长亲率二百余万军队发动民族解放战争之语（详见答辩理由首段）。第十六面且明有“握有中国统治权的国民党”云云。在在均足证明“起诉书”内所为结论之完全不确。

（丙）“起诉书”又谓前述各语与共产党致国民党书所载：“我们赞助建立全中国统一的民主共和国”，“拥护全国统一的国防政府”，如出一辙。然查全救会所建议者为促成统一的抗敌政权，而该共产党书内所主张者，则为统一的民主共和国与国防政府，明系指政府而言。两者之间，即就字义而言，亦绝无相同之处。“起诉书”竟认为如出一辙，不但于政府与政权之别未明，且实有故意周内，指鹿为马之嫌！

（丁）至“起诉书”谓被告等所称各党各派云云，实侪国民党于各党各派之列一层，则并入后列第三款内论列；又指共产党书系由乃器交与罗青云云，实与事实不符，亦并入后列第九款内详细说明。

“起诉书”第二款不明政府与政权之区别，恝置上下文于不顾，茫然于中央之政策与言论，不识扩大政府之政权于抗战为必要，指摘被告等为不承认现政府有统治权，并欲于现政府外，更行组织一政府，实属一意武断，罔顾是非。

（三）“起诉书”于第三款内杂引《团结御侮》之小册内所载数语，及一二侦查问答之词，认为有意为共产党张目，侪国民党及政府于各党各派之列，蔑视现政府，并为有利于共产党之宣传。然

（甲）“起诉书”于该小册之内容，根本未予研究。以致所为结论，恰与原意相反。查该小册系钧儒乃器韬奋及陶行知四人所发表，并非救国会之文件，然其要旨，仍在希望全民族团结一致。其第六面载：

“我们以为，第一，抗日救国是关系整个民族生死存亡的大问题，所以只有集合一切人力、财力、智力、物力，实行全国总动员，才能得到最后的胜利。换句话说，抗

日救国这一件大事业，决不是任何党派任何个人所能包办的。脱离了民众，单是政府抗日，必然失败；但是没有一个政府的领导，单靠民众自动地作战，也决不会有胜利的前途。”

该册第十二面所载希望蒋委员长亲率二百余万军队，发动神圣民族解放战争，已详见上列答辩理由首段。其第十四面又载：

“我们认为西南当局应该推动中央政府出兵抗日，避免和中央取对立的态度。”该册于国民党尤显然望其能领导全国致力于民族革命之伟业。即如第十五面载：

“中国国民党我们始终认为是中华民族历史上的一个主角。”

第十六面载：

“我们所希望的，有民族革命的光荣历史的国民党，握有中国统治权的国民党，应该赶快起来促成救亡联合战线的建立。”

曰“主角”，曰“握有统治权的国民党赶快起来”，则其明认国民党有领导全国各党各派救国之责任与权力，而并非与各党各派同列，实属毫无疑义。上开各点既明，则“起诉书”就所引册内各语所为论断，系属穿凿附会，自甚了然。即如“起诉书”所引“这里所谓各党各派主要的是指中国共产党”云云，其所紧接之上文为：

“握有中国统治权的国民党应该赶快起来，促成救亡联合战线的建立，应该赶快消灭过去的成见，联合各党各派为抗日救国而共同奋斗。”（见第十六面）明望国民党主动联合各党各派，而共产党不过为被联合各党各派中之主要者，国民党显在主动领导之地位，“起诉书”何得谓为侪之各党各派之列，更何得谓为共产党张目！至“起诉书”所引第十七面所载：

“现在共产党已经提出了联合抗日的主张，国民党却并没有表示，这结果会使一般民众相信倒是共产党能够顾全大局，破除成见。”则明在上引第十六面所载各语之后，仍系希望国民党领导抗日无疑。再证以该小册第十八面所载：

“我们所希望的，中国共产党要在具体行动上，表现出他主张联合各党各派抗日救国的一片真诚，因此在红军方面，应该立即停止攻袭中央军，以谋和议进行的便利；在红军占领区域内，对富农地主商人应该采取宽容态度；在各大城市内，应该竭力避免有些足以削弱抗日力量的劳资冲突。这样，救亡联合战线的展开，才不至受到阻碍。”

是明在告诫共产党，何得反谓为之张目。至为何希望共产党参加抗日，则无非因寇入已深，应以全力对外，一点一滴之血，一枪一弹之费，均应留作对外之用。中山先生于《民族主义》第三讲末段云：

“要提倡民族主义，自己先联合起来。”

二十一年四月我国国难会议宣言亦载：

“深愿全国国民不分党派、阶级，精诚团结，牺牲一切成见，共图抵抗之方策……而依据民众武力之原则，打破以往循环内战之局面，实为今后国人努力惟一之途径。”

二十一年“九·一八”纪念中央执行委员会告国人书亦载：

“国人今日政治见解之不同，政治集团之庞杂，无可讳言。是犹指臂之有长短，嗜好之有咸酸也。然即有短长，临危难则无不互助以求自卫者；即异咸酸，遇饥渴则无不后言味以先求生者。今之国势如大海孤舟，狂风迭袭，舟人于此，协力共济之不暇，更何忍以全局之安危，殉彼此之意气。故本党今日愿忍一切，以求国家之生存。”

蒋院长于本年二月间三中全会后对中央社记者之谈话，尤明称：

“事实上对于民国十二年以前之各党各派，早无歧视，更无排斥之意。”是被告等建议全民族不分党派阶级，一致联合抗日，实为我国自中山先生垂训以来一贯之政见。“起诉书”未及博览，遽予被告等以指摘，实非允当。

（乙）至检察官询被告等以“共产党是无国籍的，是抱世界主义的，怎能救国？”则明系对共产党询问之问题，何能责令被告等答复。又询以“红军昔曾在后方反攻，究以何法保证其不生后患？”则查违反军纪，自有国家与民众之制裁。“起诉书”究竟凭何理由，认被告等之供答为不充分？若谓非先有不生后患之保证，即不应希望政府领导红军抗敌，则犹云非能确保后方不生倒戈情事，即不应希望对外抗战。因噎废食，其无理亦正相同。

“起诉书”第三款将《团结御侮》之小册内载希望国民党处于领导地位，主动联合各党各派抗敌御侮之意，故予曲解；将全册辞旨，悉行抹煞；以侦查所询问题之不当，诿为被告等供答之不合；认为被告等为共产党张目，削弱民众对于政府及国民党之信仰，侪国民党于各党各派之列，蔑视现政府，为有利于共产党之宣传；实属有意罗织无疑。

（四）“起诉书”于第四款内谓被告等有国际背景，政治野心，于第八款内谓被告等之口号系本于第三国际之议决案而来。两款同为悬拟揣测之辞，欲以受人利用，诬蔑爱国运动。其结论性质相同，兹特合并答辩于后：

（甲）“起诉书”于第四款内主张救国会所用“联合阵线”“人民救国阵线”等口号与“人民阵线”相同，并于第八款内主张“人民阵线”为第三国际第七次代表大会所通过之口号，故被告等之口号实系本于第三国际代表大会之议决案而来。然“起诉书”列举救国会刊物所用口号有七种之多，而始终并未觅得一“人民阵线”之口号，是名称先已不同。而“起诉书”于救国会刊物所用各阵线之涵义即内容如何，又并无一言道及，不知究竟凭何逻辑，可以断定其与人民阵线相同？查救国会刊物内所用各阵线，其主旨均指全民族联合抗敌救国而言。此就每一名称之上下文观之，即可了然，决不容与其他国外提倡之阵线相混淆。例如：

（子）"'推诚合作'不是我们的宣传资料，而是我们的纯洁动机，而是我们的基本信条。中国人民只有在抗日的前提之下，大家相亲相爱的推诚合作，然后可以建立伟大的人民救国阵线。"（见"宣言"第五面）

（丑）"大会认为过去当局对其他较小民族的歧视，要使他们脱离民族阵线，甚至变成敌人的力量。"（见"政治纲领"第十一面）

（寅）"联合战线的主要目的是在扩大抗日救国的队伍。"（见《团结御侮》小册第九面）"联合战线的意义是在横的方面团结各党各派，在纵的方面团结社会上的各阶层去对付共同的敌人。这样的扩大的团结是需要极端的诚意，和极端的宽大容忍的态度的。"（见大会工作检讨第十五面）

（卯）"因为历史告诉我们：许多国家都是因为对外战争胜利而促成内部统一的。这样看来，**民族联合战线**决不是一种短命的过渡性质的结合。问题只在于我们对于参加联合战线的态度够不够热诚，对于抗日救国必然胜利的信仰够不够坚定就是了。"（见《团结御侮》小册

第十面）

（辰）“救国阵线在过去的五个月中间，不断的指出日本大陆政策的主要作用在灭亡全中国。我们唯一救亡图存的要道在立刻全国团结一致，以全力抗敌。”（见“宣言”第一面）

（巳）“我们敢宣誓我们今后仍坚决地站在这救亡战线的立场，不躲避，不退却，不放弃立场，不动摇意志，一直到中华民族解放运动达到完全胜利的一天。”（见《团结御侮》小册第五面）

以上为“起诉书”所列举救国会文件内所用之各阵线。试问其内容是否在求中华民族联合抗敌救国，抑系如“起诉书”所称，本于第三国际之议决案而来？除上述“起诉书”所引之各阵线外，救国会文件尚载有其他阵线，内容相同而字义更为明显，反为“起诉书”所故意漏列，即如：

（午）**反日战线**（见“政治纲领”第七面及第十一面）

（未）**抗敌阵线**（见“政治纲领”第十一面）

（申）**全国救国阵线**（见“政治纲领”第七面）

（酉）**中国反日联合战线**（见“政治纲领”第七面）

（戊）**救亡联合战线**（见《团结御侮》小册第十六面）

（亥）**全民阵线**（见同上小册第二面）

均可以直觉而认明其系指联合全民族一致抗日。"起诉书"不但于救国会文件内载各阵线之内容，丝毫未予注意，即其名称之字义，亦一概置之不问，而以武断之论调，强谓其与人民阵线相同，宁不可异！查法国与西班牙之人民阵线系属对内性质，与救国会文件所载各阵线之旨在对外者完全不同。侦查期内呈案之去年七月十二日《生活日报》星期增刊所载韬奋答复读者一函内曾称：

"'人民阵线'这个名词用在中国的民族解放运动，很容易令人误解，不如用'民族联合阵线'来得清楚。（称'抗敌救国联合阵线'当然也可以，但不及'民族联合阵线'的简便。）'人民阵线'这个名词大概是借用自法国的人民阵线，正因为有着这样的渊源，所以很容易令人误会。为什么呢？因为中国努力民族解放的联合阵线和法国的联合阵线是有着根本的差异，不应混为一谈的。……所以我们主张，为明了起见，不可再用'人民阵线'这个名词，应该用'民族联合阵线'，使人一望而知是以民族解放为本位的联合阵线；是对外的，不是对内的；是中华民族的任何分子，除汉奸外，都可以参加的，并不限于任何阶级的并且不该由任何阶级包办的。说得直截了当些，这里面只有民族解放的问题，只有一致抗敌救国的问题，而不该牵到什么阶级问题。”该函于人民阵线与民族联合阵线之别，言之甚明，中国不应有前者而仅应有后者，亦已反复申述，并无曲解余地。其中所谓为明了起见不可再用“人民阵线”云云，明系指导一般读者之言，并非谓本人以前向来使用。此意甚明，亦绝无可生误解之处，乃“起诉书”竟称：“不但不能证明人民救国阵线与人民阵线系属两事，反可证实人民阵线口号亦久已为被告所沿用。”不知“起诉书”究系凭何逻辑而得此？“起诉书”又称中国共产党有关于人民阵线之决议，无论是否属实，而被告等既未用此名称，敢问究与被告等何涉？乃“起诉书”忽又声称：“被告偏以此种标语为号召之用。”则更不知被告等究于何时何处，用此标语号召，应请明白指出。至“起诉书”所称人民阵线系第三国际第七次代表大会所通过之口号，以及中国共产党有关于此种阵线之决议，究系何所根据，并无

说明。虽“起诉书”内载见《中央日报》云云，然查该报并无此项消息。经

钧院刑庭致函该报调查，亦无结果。是“起诉书”所称先已无据。而被告等既根本并未用此口号；被告等所用各阵线之内容，又均与寻常所谓人民及“起诉书”所谓“含有阶级作用党派背景及对内革命之性质”者，完全不同，如上所述，自更无庸就此多辩。此外“起诉书”内又引救国会文件内载讨赤不易成功各语，原文意旨均在珍惜国力，希望国民党领导各党各派一致抗敌。此就各语之上下文观之，毫无疑义，前已详述，兹可不赘。抑更有陈者，联合战线一名词，早已见于国民党第二次全国代表大会宣言所载：

“（三）凡民族革命运动必须明了共同之敌人为谁，对于共同之敌人而共同奋斗，自助与互助，切勿异致。所以世界上一切被压迫民族之革命运动，**有联合战线**之必要。”

蒋委员长于前在总司令任内所发布之《告武汉工界同胞》一文亦有“确立农工商学兵联合战线”之倡导，“起诉书”数典忘祖，竟牵引第三国际，断言被告等之口号，

系本于其所为议决案，尤属显然失当。

（乙）“起诉书”虽又引二十六年一月十九日侦查笔录所载罗青供称“现在名词还未统一。人民阵线、人民救国阵线、统一阵线、民族联合阵线、联合战线都是一样的”，等语，以为佐证。然查当日笔录，紧接该供词后，检察官即询以“你说的人民阵线是对内，还是对外呢？”答称：“我们人民阵线是对外的，不是对内的，与法兰西西班牙的人民阵线是不相同的。”再查其前于二十五年十二月三十日经询以：“你们所说的人民阵线、统一战线、联合战线，这都是些什么意思？”答称：“人民阵线现在只有法兰西和西班牙可以讲的，与我们的统一战线不同。统一战线及联合战线，也叫人民救国阵线，就是要把各党各派的实力团结一气，一致抗日的。”（均见笔录。）是即罗青亦明称人民救国阵线，联合战线等阵线系指团结一致抗日，与法国西班牙之人民阵线之对内者不同。“起诉书”何能掇拾罗青供词中之一名称，不问其所指之内容如何，并恝置其所为其余一切供词于不顾，以遂其深文周内之本意？矧查罗青不但非全国各界救国联合会负责之人，且亦非该会及任何救国会之会员。即其本人所拟筹备之江苏省救国联合会亦尚并未开始，有其所供“我对这救国的事情是很同情的，所以我去筹备，但并未开始，也未履行过什么手续”等语可考。(见二十五年十二月三十日侦查笔录。)是罗青于救国会尚无关系可言，何能责以详悉救国会之立场，以及名词之取舍。

(丙)“起诉书”又引《中国学生救国联合会情报》所载捐款援助西班牙政府及欢迎美国人民阵线代表来沪两节，查中国学生救国联合会为全国学生所立之独立联合团体，并不附属于全国各界救国联合会，即“起诉书”于主张事实之处，列举救国会之名称，亦并无此会。何能以其言论行事，证明全救会之立场。且西班牙政府为我政府所承认之合法政府，向其表示同情，亦难谓有何不合。美国则为我国难中急宜联络之友邦，适有其同情我国抗敌之人民代表来华，与之周旋，亦无足异。“起诉书”以该会情报关于此等事项之记载为证明全救会文件所用之阵线与人民阵线相同之资料，尤属牵强。至“起诉书”又谓西班牙内战系由共产党所主持之人民战线而起，则既未明西班牙人民阵线之内容，又昧于国联对西班牙内战严守中立之态度，更茫然于政府之对外政策，而惟信手摭拾报纸上一二不负责任之辞句，作为定论。因而遂指被告等为有国际背景，其推论之不求实际，于此益明。

（丁）“起诉书”谓周守彝程嗣文甘爽等所组织之火花读书会确系共产党团体；并曾加入职业界救国会，编为一四三三组，以周守彝为组长，业经江苏高等法院第二分院认为以危害民国为目的而组织团体，判处罪刑，故断言救国会有共产党分子在内。然查上海职业界救国会之会员系以个人为单位。所谓火花读书会乃一团体，并无加入救国会之可能，尚有何编为第一四三三组之可言？且江苏高等法院第二分院原判决内所载小组及组长等名称，依该原判决事实栏内所称明系另一团体，即该判决所谓抗日救国会者之组织，尤足见与职业界救国会无涉。其所谓抗日救国会既明系另一团体，自不能与被告等所参加之救国会相牵混。况查二十六年一月二十五日江苏高等法院第二分院嘱托调查笔录提讯周守彝等有无以火花读书会加入职业界救国会并编为第一四三三组之事，据周守彝供：“不晓得，我只介绍程嗣文一人。”据甘爽供：“有个程嗣文经周守彝介绍，加入救国会后，我亦加入的。”是加入职业界救国会明系个人而非火花读书会。且甘爽于程嗣文加入之后，始行加入，则自非同时以团体加入，尤甚了然。由此可知火花读书会加入职业界救国会编为第一四三三组之说，确非事实。“起诉书”于此概不注意，其认定事实之错误，自不待言。且即假定真如“起诉书”之所称，救国会中确有共产党分子在内，然共产党分子在表面上并无辨识方法，故即在学校公署之内，亦均难免有时发见，断不能因一机关中有此分子，遂谓其机关之本身即属可疑。矧查与周守彝等同在江苏高等法院第二分院为被告之袁清伟等，虽经捕房指为参加职业界救国会之人，而仍将公诉撤回，有同院卷宗可考。以与该案其他被告之因认为有其他事实而判罪者相较，则参加与被告等有关之救国会，并非犯罪，尤甚显然。

“起诉书”于第四款及第八款内，以名称于救国会文件内遍查不得，内容与该文件所用者全不相同之“人民阵线”作为救国会所主张之阵线；且并不查明而断定第三国际与中国共产党有关于人民阵线之议决案及其内容之为何；并忽略周守彝等案内之被告程嗣文等系个人加入职业界救国会，及袁清伟等虽经捕房指为参加该救国会而仍将该部公诉撤回之事实；认为被告等有国际背景，政治野心，所用口号系本于第三国际之议决案，实属有意诋毁救亡运动，架空虚构，故入人罪。

（五）“起诉书”于第五款内谓：毛泽东书函之印刷品内抨击宪法之点与被告等之评论若合符节。查其所引“政治纲领”关于《宪法草案》之评论为：

“大会认为在这国难空前严重的时候，含有‘制礼作乐’意味的宪法是多余的。”

原文意旨系认为当此国难严重之时，救亡图存为当前之急务，否则国且不保，尚有何宪法之可言，实属贡献意见之一种，与毛泽东书函之印刷品内所载之辞，并无丝毫相似之处，何能混为一谈？且查《宪法草案初稿》曾经政府于二十三年三月一日及七月九日登报征求人民之批评（见二十五年十一月《时事月报》内载“宪法草案议订之经过”），正式《宪法草案》制定之后，又经分送各方征求意见。是批评本为政府之所征取，尤无不当可知。至“起诉书”称乃器曾将该项印刷品交与罗青，命其担任组织江苏各界救国联合会一节，则并入后列第九款内答辩之。“起诉书”不问该政治纲领就《宪法草案》所为评论之意义为何，竟以政府征求在先，人民应命于后之批评，为犯罪人证据，显属不合。

（六）“起诉书”又谓：被告等对于工人不惜多方煽惑以遂其不法之企图。然查

（甲）罢工后援会之组织，乃在上海日纱厂罢工发生以后，时值寒冬，因罢工而失业之人冻馁堪虞，所谓后援，不过略为捐助果腹之资，以期稍免疾病死亡之惨。凡此各点均有案内之罢工后援会缘起可考。无论华工惨受日人之虐待，凡属国民，本均有同胞互助之义务，而事属慈善，且于地方治安有益，要不能引为犯罪之论据。

（乙）至“起诉书”又引上海各界救国联合会于去年十月所发表之“为上海三百五十万市民请命”一文内载之语，则查该文开章明义即称：

“救国阵线的宗旨，简单的说，是团结御侮，详细点说，是联合全国各党各派和社会各阶层分子共同对付日本帝国主义和汉奸卖国贼。”

继称：

“本市二十余万的产业工人集中在虹口一带，而虹口

已经变成敌军的防线，这二十余万的产业工人有高度的组织训练，有勇敢热烈的斗争情绪。只要把他们好好的组织起来，一个个都可能是冲锋陷阵的英雄。”

“起诉书”所引冲锋陷阵的英雄云云即见于此。再观后文明载：

“我们只希望本市当局在这千钧一发的时候，能够在上不负国家下不负民众的限度之内，在不畏缩不苟安的原则之下，为本市的前途做一个周密的考虑，订下来一个切实可行的计划。”

文末又称：

“危机太迫切了，我们垂涕而道，请本市当局倾听，请中央明察，请全国同胞共同主张国是，我们很迫切的谨为三百五十万上海市民请命！”

是“起诉书”所引“冲锋陷阵的英雄”云云，明系因上海虹口一带已成敌军防线，我国亟应早事戒备，故切请地方当局将有职业之民众善为组织，以备万一。该文全篇均系向地方当局陈请之辞，即其命题亦明为“请命”。如此救亡之呼吁焉得诋为煽惑，况查政府训练公民，本包括工人在内，被告等引申其意，特请地方当局注意，更无不合。

“起诉书”第六款以对于惨遭日人虐待，冻馁堪虞之罢工工人，稍予慈善救济，为不惜多方煽惑；以引申政府训练公民之意，吁请地方当局训练工人，以备御侮之用，为有不法之企；图不仅于事实毫无根据，且实足以助长敌人之气焰，摧残爱国之心情。立论之失当，孰有甚于此者。

（七）“起诉书”于第七款内主张在韬奋家中搜得之《斗争报》并非有利于被告等之证据。被告等自问无罪，未尝引为反证。所以将其有关于韬奋与乃器之批评指出者，不过因上海市公安局向江苏高等法院第三分院请求移提时曾据为不利于被告等之证据已耳。查韬奋向未知有该报，偶遇友人谈及该报载有涉及韬奋与乃器之文各一篇，并为设法购得一份交阅，韬奋阅后一笑置之。此为该报入韬奋家之原因。该报于所载关于韬奋一文指韬奋为资本家，于所载关于乃器一文谓乃器主张在国民党领导之下救国，在对于中央效忠的一点上，与法西斯理论家的主张一致。并谓乃器不分阶级，不分党派，没有政治野心，没有争取政权的企图，引入爱国一途，减少斗争的力量。在被告等固无须借为有利之证据。然检察官欲摘取他人一二无故谩骂之词，以为不利于被告等之证据，则亦显不合法。

（八）“起诉书”第九款系以“西安事变”为中心论据，认为被告等勾结军人，谋为轨外行动。然查“西安事变”发生于去年十二月十二日，而被告等早于同年十一月二十二日被捕。当时正被羁押于苏州江苏高等法院看守分所。身在囹圄，不但无法与外人勾结，且即该项事变亦实无从知悉。嗣检察官于今年三月九日开第五次侦查庭时，略举张学良要求八项相告，询及被告等对于兵谏办法赞成与否，被告等当时答称：此种兵谏办法有引起内战削弱抗日力量之危险，不能赞同。有侦查笔录可考。“起诉书”谓以被捕业经两旬之人而能与军人勾结，无非以下列各项事实为论据：

（甲）“起诉书”因张学良所提出之八项主张内有“容纳各党各派，负责救国，及立即释放上海被捕之爱国领袖，立即召开救国会议”等项，遂认为被告等与张学良有互相联络之情形。然查全国各界救国联合会为希望全国团结，一致抗日起见，固有各党各派在中央领导之下竭诚合作及召集救亡大会以期集中国力之呼吁；然绝未尝有鼓动人民反对政府之言论与行动。联合一致，抗敌救亡，为大多数国民之要求，且为自中山先生垂训以来，中央一贯之政见，并为国难发生以来政府逐渐施行之政策，已如前列第三款内之所详述。救国会自无法禁止他人为类似之主张，更不能为张学良所发之通电负责。至张学良以释放被告等为条件，乃张学良之行为，与被押业经两旬之被告等何涉。且我国上下要求释放被告等者实不止张学良一人。以此为被告等勾结军人之证据，揆诸事理，实不可通。

（乙）至各地救国会则均系自动组织，非经请求加入全救会，在全救会方面即无从知其存在。全救会于去年五月三十一日成立之时，并无西安救国会之代表列席。被告等于事后亦未知该方有此组织。检察官以此相询，被告等只能据自己之所知以对，乃“起诉书”竟因《救亡情报》内有关于西安学生之救国运动及救国团体之记载，遂认为被告等必已知之，显属臆测。

（丙）“起诉书”又引《救亡情报》所载全救会为援绥抗日致张学良之电，然该情报同一页上即载有全救会上国民政府及致傅作义军长电，内容大致相同，均在督促坚决抗日与出兵援绥，自有原文可稽，不容忘加附会。当时匪伪进攻绥远，情势万分危急，国人莫不一致要求出兵抵抗。全救会亦本其抗敌救国之宗旨，驰电中央及有关系之各方，以尽其奔走呼号之力。无论其时远在匪伪攻绥之初，距“西安事变”甚远，何止“起诉书”所称之“浃旬”。而各电报之内容要均与“西安事变”并无丝毫连系。呼吁援绥，与西安兵谏，实属风马牛不相及之两事。若谓督促出援，即为勾结，主张抗敌，即属轨外，则当时报载此类文电甚多，岂均在应受检举之列耶？

（丁）“起诉书”又有私立救国联合会一语。然查被告等曾以全国各界救国联合会代表资格向二中全会请愿，并迭向地方当局请愿陈情，已如前列第二款乙目内所述，尚何得谓之私立！若谓未经登记，则以抗日之团体请求登记，照准则于外交或有不便，不准则将招阻碍抗日之误会。徒使政府为难，并无丝毫实益。且此亦至多不过一程序上之问题，与被告等之犯罪与否无涉。

（戊）至“起诉书”内又涉及联合各党各派，建立抗敌政权，鼓吹人民救国阵线各问题，则已分别在前列第三款，第二款，及第四款内，详细辩明，可不赘述。

“起诉书”第九款以电促出兵援绥为勾结军人，以变起仓卒之事令被押业经两旬之被告等负责，以他人要求释放被告等为被告等之罪证，断定被告等系以危害民国为目的而组织团体，并宣传与三民主义不相容之主义，其为故意入人于罪，实属毫无疑义。

（九）“起诉书”于第十款内主张罗青曾参加以危害民国为目的之团体有牵涉乃器并及钧儒韬奋之处，兹连同“起诉书”第二款及第五款内因罗青涉及乃器之处，一并答辩之。

（甲）“起诉书”于第十款内称：“罗青承认担任组织江苏各界救国联合会属实。”于第五款内称：“被告等以其系对于救国会所表示之响应，竟将是项反动刊物由章乃器授与罗青，命其担任组织江苏各界救国联合会。”各等语。查乃器并未命罗青担任组织任何救国会，且全救会亦从无派人出外组织任何团体之事。其他地方有救国会成立者，亦均系当地自动组织，非经前来全救会请求加入，即与全救会不发生任何关系。检察官如欲查明乃器有无命罗青担任组织之事，应就事实调查，何能仅凭罗青一面之词？且即罗青亦始终并无此项供词。查检察官询以：“他要你组织江苏各界救国联合会么？”答：“是的，我同他一度接洽，他同意我进行江苏省各界救国联合会的。”（见二十六年一月十九日侦查笔录。）嗣又询以：“是章乃器要你组织江苏各界救国联合会否？”答：“不是他叫我组织的，是我自己去组织的，不过得他同意取得连络的。”（见二十六年三月四日侦查笔录。）其于侦查时所递声请停止羁押状内亦称：“声请人从事救国运动，并未加入其已成组织。对全国各界救国联合会仅与其负责者章乃器一人作一度私人之接洽，除理论与政策方面外，彼此之行动，鲜所关涉，亦至隔阂。”（见侦查卷第三宗第一〇二页。）是即罗青之状供亦根本并无乃器命其担任组织该会之词。

（乙）“起诉书”于第二款第五款及十款内均涉及乃器将印刷文件交与罗青一节。查乃器于罗青来晤时曾因索取之故，将“全国各界救国联合会大会宣言”及“政治纲领”与“团结御侮的几个基本条件与最低要求”三种印刷品交与。至于其被捕时在其所寓之江阴饭店内同时搜获之印刷文件“共产党致国民党书”及毛泽东之油印书函，则并非乃器交与。试思乃器家中所有印刷文件，均于被捕之时，为市公安局人员搜索取去，至今均仍存在案中。而其中并无该两种之文件。且谓以此种文件随意交与一素不相识初次见面之人，实属太不近情，根本上已不足信。

（丙）“起诉书”又于第十款谓：罗青供称：“与章乃器接洽时沈钧儒邹韬奋亦一同在座。”然事实并非如此。钧儒从未在乃器家中与之相遇。韬奋则即乃器当时所住之宅，亦从未到过，更无相值可能。盖乃器于去年九月间始迁入该宅，距罗青来访之时，尚仅一月也。且“起诉书”主张钧儒韬奋在乃器家中偶与罗青相遇，亦本属极琐屑之情事，苟非确与事实相反又何必提出置辩！

“起诉书”于第二第五第十各款内既置罗青明认自动组织江苏各界救国会之供词于不顾，而武断其为出于乃器之所命；复凭罗青一面之辞，强指乃器为以共产党书函之印刷品交与，并认钧儒韬奋亦曾与其相遇，其为有意罗织，实至显然。

据上陈述可知被告等从事救国工作，无非欲求全国上下团结一致，共御外侮，与政府历来之政策，及现在

之措置，均无不合。“起诉书”于救国会之目的及政府之国策，均有未明，所列犯罪证据十款，无一足以成立。用敢据实上陈，伏乞

钧院秉公审理，依法判决，谕知无罪，以雪冤狱，而伸正义；并请赐予停止羁押，俾得在外候审，实为公便。谨状

江苏高等法院

中华民国二十六年六月七日

政治意见书——第二次答辩状

被告　沈钧儒　章乃器　王造时　李公朴　邹韬奋
　　　沙千里　史良

为补陈政治意见，请赐核鉴事：窃被告等被诉危害民国一案，涉及政治范围，以故被告等对于政治之见解与主张，自为审判时之所应注意；惟前呈“答辩状”因须针对“起诉书”逐款答复，致对于此点，反不能作一贯之叙述，兹谨补具本件，以备参证。

缘救国会发起于二十四年终，华北问题极端严重，分离运动迫于眉睫之际，故当时中心主张，即为“制止分离运动，统一民族阵线”，而以抗日为最高之目标。其“促成一个统一的抗敌政权”之呼号，即根据此种要求而来，其意在集中抗日力量于中央领导之下，而绝无改组政府之企图，实彰彰明甚。即以常识判断，被告等为主张息争御侮之人，亦安忍倡改组政府之说，以增重内争，消耗国力，而自陷于矛盾乎？其次若“停止内战”及“全国各党派各阶级合作”等主张，其意义亦均在保存抗日力量，而使之集中于政府领导之下。千言万语，殆无不以抗日为依归。复其次，若主张开放言论，以激发民众抗日情绪；解放民众运动，以组织民众抗日力量；改善民生，以培养民众抗日力量；则以我国在经济上仍逗留于农业时代，民众未被组织于国民经济之各部门，平时于国家之认识既欠深切，战时又不能通过产业总动员以执行国民总动员，故认为欲达民族抗战之目的，非于事前经过极艰苦之启发及组织工作不为功。吾人不言抗日准备则已，倘言抗日准备，则此实为最基本之准备项目也。至其所以一面赞同迅速有效之准备，而一面又以敌来立即抗战为请者，则以抗战固为准备之目的，然同时亦为准备之先决条件。倘无敌来立即抗战之决心，则日蹙百里，根本即无从订立国防计划也。此外若主张对外联合英，美，法，苏结成国际反侵略阵线，其旨在增强抗日力量，尤为明甚。总之，吾人既悬抗日为最高之目标，则一切主张均不过达此目标之手段，而一切主张之运用，更绝不能与此目标背道而驰也。颇闻有认“停止内战”一语，意义过于广泛，易遭滥用者，其错误即在离抗日目标，而为断章取义之解释耳。盖主张停止内战之动机，既纯出惋惜抗日力量之消耗，则国内任何方面，自不能以此为护符，而发为足以阻碍抗日之行动。其甘为敌人爪牙之兵力，政府如施以剿讨，自更为吾人之所馨香祝祷也。综上所述，均认为以前种种，在政府环境牵制，自有苦衷，而人民忧国心长，不能不为迫急之呼吁。被告等黍居干部，赋性坦率，而诚信未孚，致重贻政府以忧虑，遂有下令逮捕之举，迄今思之，殊为抱憾。被捕以来，瞬又七月，中经百灵庙之收复，“西安事变”之和平解决，以及三中全会之空前成就，政府抗敌御侮之决心至此更与天下以共见，现时政府对外对内之政策，大体上即救国会之所祈求，所不同者，至多不过缓急轻重之别耳。为国之道，在把握大同，而放任小异，政府负最后决定之权，而人民有推进督促之义，在此种意义之下，被告等深信救国会过去之活动，其缺憾仅在未能消除隔阂，而决非有与政府国策不能相容之处；而救国会今后之活动，与政府之措施，将更益显其相成相助之美，而万不至有相违相悖之虞。被告等秉此信念，自更愿在政府领导之下，为抗日救国而尽瘁。如不蒙亮察，置之于罪，窃恐于民族为不利，于政府亦有损，被告等既以身许国，个人利害固非所计也。据被告等所知，救国会近来之活动，一面秉承过去一贯顾全大局之宗旨，一面亦深能把握现阶段之新形势，其诚挚要求政府领导之表示，已一再见诸所发表之文件。即对国民大会及“宪法”，在昔因国策尚未显示，故曾有国土且不能保，凡此皆应缓图之批评，目下抗敌救亡之基础已立，对于此等问题亦顿易其观感。对于国民大会选举法，在昔因选举代表须辗转圈定，曾认为有失舒展民权之本意，目下法案业已修改，批评根据自亦与前迥异。救国会近来之注意，致力于宪法运动，尤足证明其过去之批评，均不外申明“抗日第一”之本旨，而决无任何成见掺杂其间也。被告等认为在此种情形之下，只须政府加以适宜之指示，救国会自可进一步成为赞助政府，巩固民主统一，推进国民经济建设，完成抗日准备之民间力量。目下华北危机，依然迫急，敌伪伺隙思逞，不减前年，被告等身处囹圄忧惶万状，为国自效，固尝寤寐以求之。为此理合补具意见，请钧院盱衡时局，宣告被告等无罪，为政府国策作进一步之阐明，为民族增一重之团结。国家前途，实利赖之！谨状

江苏高等法院

中华民国二十六年六月二十二日

声请调查证据状

声请人　沈钧儒　章乃器　王造时　李公朴　邹韬奋
　　　　沙千里　史良

为声请调查证据事：窃被告等被诉危害民国一案，前于本月十一日审理，被告及辩护人等，先后就“起诉书”列举事实，提出应请调查之证据二十余点，方推事等未举理由，一律裁定驳回，当经被告等认为有偏颇之虞，声请回避在案。兹奉票定于本月二十五日续审；并另指定承审推事，自系方推事等以被告等声请回避为有理由，或钧院认方推事等对于被告等声请调查之证据，不予调查，为应自行回避之原因。所有前请调查证据二十余点，除业经呈案证物各件，俟于二十五日更新审理时，当庭调查外，其未能呈案之证物，及应于审判期日前传唤或嘱托询问之证人，拟请钧长依照《刑诉法》第二百五十三条规定，分别为调取，传唤，或嘱托之处分，仅胪举如下：

（一）“起诉书”第一款第二款及第四款称：《全国各界救国联合会大会宣言》及《抗日救国初步政治纲领》，第三款称：被告钧儒等四人所发表《团结御侮的几个基本条件与最低要求》刊物，反对剿共，主张释放政治犯，及各党各派派遣代表，建立统一的抗敌救国政权，为阻挠中央根绝赤祸国策，不承认现政府有统治权，欲更组织政府。查（一）全国各界救国联合会主张停止剿共，系以共产党停止攻袭中央军，放弃劳资阶级冲突，表现联合抗日救国真诚的条件，与国民党三中全会宣言及根绝赤祸决议案之主张相同。（二）建议释放政治犯，则二中全会及三中全会均有此项提案，三中全会且已将原则决议通过。（三）主张联合各党各派建立统一的抗敌救国政权，无非和平统一，集中政权，共图抗敌救国之意，亦与本年三中全会及二十一年中央召集之国难会议宣言，并二十一年“九·一八”纪念，中央执行委员会告国人书，及蒋院长二十五年七月十三日在中央纪念周演讲《统一救亡之主张》相同，应请钧院向中央党部调取（一）三中全会宣言，（二）三中全会根绝赤祸决议案，（三）二中全会及三中全会关于释放政治犯之提案及决议案，（四）国难会议宣言，（五）二十一年“九·一八”纪念中央执行委员会告国人书，（六）二十五年七月十三日蒋院长在中央纪念周统一救亡之讲演词，以资证明。

（二）全国各界救国联合会成立以后，历向上海市政府前市长吴铁城接洽，又曾向二中全会请愿，蒙派中委马超俊接见，若果不承认现政府有统治权，欲更组织政府，何敢公然向中央党部及上海市政府请愿接洽；而党部政府当时亦予以接受，足见“起诉书”论证不合，应请钧院嘱托（一）首都地方法院讯取马超俊委员证言，（二）广州地方法院讯取吴铁城前市长证言，以资证明。

（三）现任国民政府委员马相伯发起上海文化界救国会，并为全国各界救国联合会执行委员之一，第二次执行委员会，即在其家中举行，自能深悉此会组织及其主张，绝非不承认现政府有统治权，欲更组织政府，并请钧院嘱托首都地方法院讯取马委员证言，以资证明。

（四）“起诉书”第四款及第八款称：被告等主张之人民救国阵线，联合阵线等口号，系本于第三国际第七次代表大会所通过之人民阵线议决案，认为有第三国际背景，查此项议决案之证据，原“起诉书”依采自二十六年二月四日《中央日报》，径询《中央日报》系采自骆美奂著文；又函经中央党部询据骆美奂称系采自不载发行印刷处所，而又不知谁作之王明著书，已不得认其有证明力，即就其书所载第三国际第七次代表大会之报告及议决案，亦并未述明系关于中国人民阵线之议决案，究竟第三国际第七次代表大会有无关于中国人民阵线之议决案，其议决案内容，是否在救国名义下反对政府及国民党，以及被告等主张之人民救国阵线，或联合阵线，内容是否与其相同，应请钧院向中央党部或其他公署，如外交部，驻苏联大使馆等，调取第三国际第七次代表大会报告及议决案全文，以资证明。

（五）况被告等所用联合阵线一词，早已见于国民党第二次全国代表大会宣言所载：“世界上一切被压迫民族之革命运动，有联合阵线之必要”等语，若第三国际第七次代表大会果有关于中国人民阵线之议决案，自与此涵义迥别，应请钧院向中央党部调取国民党第二次全国代表大会宣言原文，以资证明。

（六）“起诉书”第四款又称：周守彝等曾加入职业界救国会经江苏高等第二分院认定系以危害民国为目的而组织之团体，判处罪刑有案，认为救国会容纳共产党之证据。查与周守彝等同案被告之袁清伟等，虽经捕房指为参加职业界救国会之人而仍将公诉撤回，足见救国会并非以危害民国为目的而组织之团体，应请钧院向江苏高等法院第二分院调取该案卷宗，以资证明。

（七）“起诉书”第五款称：被告等所称“含有制礼作乐的宪法是多余的”等语，认为与毛泽东函内抨击宪法一点，若合符节，查被告等认为国难当前救亡为亟，制宪其次，况政府于二十三年三月一日，及七月九日曾登报征求人民批评《宪法草案》初稿，正式《宪法草案》制定之后，又经分送各方征求意见，不能谓对于制宪时机，略致微词，即系与毛泽东通同抨击，应请钧院向国民政府调取征求批评宪法卷宗，以资证明。

（八）“起诉书”第六款称：被告等组织工人罢工后援会，认为煽惑罢工，以遂不法之企图，查罢工后援会之组织，纯出于慈善同情，乃在上海日纱厂罢工以后，而此次日纱厂罢工，经上海市社会局市党部调解及上海第一特区法院二十五年十一月二十三日判决有案，有无被告等煽惑情事，应请钧院向上海市社会局，市党部及上海第一特区法院分别调取卷宗，并传唤卷载关系此案之证人，以资证明。

（九）“起诉书”第九款，标举“西安事变”，张学良所提出八项主张，及救国联合会电请张学良援绥抗日等事，认为勾结军人，谋为轨外行动。查“西安事变”，远在被告等被捕两旬之后，而救国联合会电请张学良援绥抗日，更远在“西安事变”数旬以前，究竟被告等有无勾结情事应请钧院嘱托奉化地方法院，讯取张学良之证言，以资证明。

（十）前项援绥抗日之电，并经分致国民政府及傅作义将军，不仅张学良一人，足见非有轨外行动之勾结，应请钧院向国民政府及绥远省政府，分别调取原电，以资证明。

以上各项证据，均属必要；而调查并非繁难，理合状恳鉴核俯予调查施行，实为公便！谨状

江苏高等法院

中华民国二十六年六月二十四日

三联经典文库第二辑简目

《游击战教程》　明凡 / 著

《游击战术纲要》　陶剑青 / 编著

《汪精卫卖国的理论与实践》　钱俊瑞 / 著

《抗战以来》　韬奋 / 著

《陕行纪实》　楚云 / 著

《随军散记》　沙汀 / 著

《被日寇囚系半载记》　王研石 / 著

《倭营历险记》　房沧浪 / 著

《活跃的新西北》　田影 / 编著

《保卫华北的游击战》　刘清扬　陈北鸥等 / 著

《徐州突围》　《徐州突围》编委会 / 编

《沦亡的平津》　长江　小方等 / 著

《淞沪火线上》　胡兰畦等 / 著

《瞻回东战场》　长江　罗平 / 著

《东线的撤退》　胡兰畦等 / 著

《抗战中的西北》　徐盈 / 著

《鲁闽风云》　徐盈等 / 著

《西线生活》　西北战地服务团集体创作

《中国解放区见闻》　［美］福尔曼著 / 朱进译

《全面抗战论》　潘汉年 / 著

《日本的间谍》　范士白自述 / 尊闻译

《日本大陆政策的真面目》　国难资料编辑社 / 编

《民众动员论》　李公朴 / 著

《中国外交史》　钱亦石 / 编著

《太平洋军事地理》　蒋震华 / 著

《世界经济地理讲话》　思慕 / 著

《列强军力论》　［德］马克斯 · 威纳尔著 / 宾符　仲持　梅益等译

《近代国际关系史》　张铁生 / 著

《太平洋现势手册》　沈志远　石啸冲 / 编著

《近代世界政治史》　钱亦石 / 著

《从战争到和平——一九四五年的世界政治》　乔木 / 著

《战后日本问题》　思慕 / 著

《最近一年间的国际动态（1946.7–1947.6)》　《东北日报》社 / 编

《论政党》　翟放 / 著

《法与宪法》　韩幽桐 / 编著

《中华民国宪法刍议》　罗家衡 / 著

《民主 · 宪法 · 人权——作之民》　费孝通 / 著

《宪法论初步》　潘念之 / 著

《对反民主的抗争》　韬奋 / 著

《农村改进的理论与实际》　江恒源 / 著

《上海产业与上海职工》（上下）　　朱邦兴　胡林阁　徐声 / 合编

《陶行知教育论文选辑》　　陶行知著 / 方与严编

《中国通货膨胀论》　　杨培新 / 著

《中国及其未完成的革命》　　H·普拉特著 / 蒋天佐译

《中国的建设问题与人的训练》　　卢作孚 / 著

《论中国特殊性及其他》　　艾思奇 / 著

《中国经济问题讲话》　　钱俊瑞　徐雪寒　王渔邨　姜君辰　骆耕漠 / 合著

《中国经济的道路》　　许涤新 / 著

《中国财政之病态及其批判》　　孙怀仁 / 著

《官僚资本论》　　许涤新 / 著

《五四运动之史的评价》　　陈端志 / 著

《中国通史简编》（上下）　　中国历史研究会　范文澜 / 主编

《论文学的工农兵方向——读〈在延安文艺座谈会上的讲话〉》　雪苇 / 著

《中国近代史（上编　第一分册）》　　武波 / 编著

《文学百题》　　傅东华 / 编

《中国史学之进化》　　周谷城 / 著

《论民族形式问题》　　胡风 / 著

《论批评》　　荃麟等 / 著

《中国史纲》（第一卷上下、第二卷上下）　　翦伯赞 / 著

《近代中国思想学说史》（1–4）　　侯外庐 / 著

《中国政治思想史》（上下） 吕振羽 / 著

《中国哲学史纲要》 向林冰 / 著

《中国政治史讲话》 钱亦石 / 著

《中国社会经济史纲》 王渔邨 / 著

《新财政学大纲》 千家驹 / 著

《太平天国革命运动论文集——金田起义百周年纪念》

华北大学历史研究室 / 编

《理性与自由——文化思想批评论文集》 胡绳 / 著

《战斗者的诗人》 黄药眠 / 著

《国语文法》 曹朴 / 著

《教育哲学》 张栗原 / 著

《妇女问题讲话》 杜君慧 / 著

《婚姻 · 子女 · 继承》 沙千里 / 著

《性教育新论》 布士克 雅各生合著 / 董秋斯译

《狱中杂感》 杜重远 / 著

《七人之狱》 沙千里 / 著

《爱迪生传》 伍况甫 / 译

《歌德自传》（上下） 歌德著 / 思慕译

《尼赫鲁自传》 [印度] 尼赫鲁著 / 毕来译

《列宁传》 [苏] 凯尔任采夫著 / 企程 朔望译

《罗斯福总统传》 C. Mackenzie 著 / 张尚之译

《托尔斯泰传》（1–3） [英] 阿尔麦 · 莫德著 / 徐迟译

《革命文豪高尔基》　［美］亚历山大 · 康恩著 / 韬奋编译

《鲁迅纪念特辑》　新中国文艺社 / 编

《回忆鲁迅先生》　萧红 / 著

《人民文豪鲁迅》　平心 / 著

《亡友鲁迅印象记》　许寿裳 / 著

《鲁迅思想研究》　何干之 / 著

《鲁迅研究》　夏征农 / 编

《过来的时代：鲁迅论及其他》　雪峰 / 著

《电影戏剧表演术》　洪深 / 著

《日常心理漫谈》　［美］约瑟夫 · 查斯特罗著 / 曾宝施译

《心理常识漫话》　朱智贤　杨云美 / 著

《读书的方法与经验》　王任叔 / 著

《美国黑人生活纪实》　［美］加德维尔　斯坦倍克著 / 董秋斯译

《初访美国》　费孝通 / 著

《事业与成功》　［美］马尔腾著 / 汪原放译

《萍踪寄语（初集）》　韬奋 / 著

《一生的幸福前途——〈生活周刊〉信箱选集》　生活书店 / 编选

《深刻的印象》　生活周刊社 / 编

《海外的感受》　生活书店编译所 / 编